Une dynastie

Huit héritiers richissimes mais privés du seul trésor qu'ils désiraient vraiment : l'amour d'un père.
Une famille détruite par la soif de pouvoir d'un homme.

De lourds secrets

Hantés par leur passé et farouchement déterminés à réussir, les Wolfe se sont dispersés aux quatre coins de la planète.
Mais secrets et scandales sont prêts à éclater au grand jour.

Une puissance redoutable

Ils ont tout réussi et ils sont plus forts que jamais. Leur cœur semble dur comme la pierre.
Mais ne dit-on pas que l'âme la plus noire peut être sauvée par l'amour le plus pur ?

8 VOLUMES A DECOUVRIR

Le défi d'Alex Wolfe

ROBYN GRADY

Le défi d'Alex Wolfe

Collection : Azur

Cet ouvrage a été publié en langue anglaise
sous le titre :
THE FEARLESS MAVERICK

Traduction française de
ELISABETH MARZIN

Photos de couverture
Homme : © STEFANO OPPO/GETTY IMAGES
Paysage : © PETER HENDRIE/GETTY IMAGES

83-85, boulevard Vincent-Auriol, 75646 PARIS CEDEX 13.

Service Lectrices — Tél. : 01 45 82 47 47
www.harlequin.fr

ISBN 978-2-2802-4426-8 — ISSN 0993-4448

1.

Dès que la voiture décolla de la piste, Alex se prépara au pire. Cette fois, il était bon pour des blessures graves. Il allait peut-être même passer l'arme à gauche…

A l'approche de la chicane, au bout d'une ligne droite du circuit de Melbourne, il avait mal évalué son point de braquage et pris le premier virage trop à la corde. Il avait tenté ensuite de passer en diagonale, mais la piste était légèrement mouillée et il n'avait pu éviter l'aquaplaning.

Déportée vers l'extérieur, la voiture avait percuté un des murs de pneus assurant la protection des pilotes et de la foule amassée derrière les barrières de sécurité. Elle avait ricoché contre le caoutchouc et s'était retrouvée en travers de la piste. Avant d'avoir le temps de reprendre ses esprits, Alex avait été secoué par un second choc, encore plus violent que le premier. Une autre voiture l'avait percuté.

A présent, il fendait l'air à un mètre au-dessus du sol. Le temps semblait suspendu et des images de son passé défilaient dans son esprit. Anticipant la brutalité de l'impact à venir, il se maudit. Quel idiot ! Champion du monde de Formule 1 trois saisons de suite — le plus grand de tous les temps d'après certains — et il avait dérogé à la règle fondamentale de la course automobile ! Il avait relâché son attention. En plein Grand Prix d'Australie ! Il s'était déconcentré à cause de problèmes personnels… La nouvelle qu'il avait reçue une heure avant de prendre place dans le cockpit l'avait complètement déstabilisé. D'ailleurs, il avait encore du mal à y croire.

Après plus de vingt ans, Jacob était de retour ?

Pas étonnant que sa sœur jumelle ait cherché à le joindre avec une telle insistance pendant des semaines… Il avait déjà été perturbé par son premier courriel. A tel point qu'il avait préféré le laisser sans réponse, comme tous ceux qui avaient suivi. Il ne pouvait pas se permettre de se laisser distraire par…

Alex prit une profonde inspiration.

Il ne pouvait se permettre de se laisser distraire. Point final.

Le sang battait à ses tempes et il avait l'impression que les vagues d'une mer démontée déferlaient dans ses oreilles. Serrant les dents, il se cramponna au volant tandis que son bolide s'enfonçait dans le mur de pneus. Quelques secondes plus tard, la voiture s'immobilisa dans une ultime secousse. Solidement arrimé à son siège par la ceinture de sécurité et le harnais de tête, Alex ressentit une douleur fulgurante dans l'épaule droite et fut enveloppé dans un voile noir. Il fallait s'extraire du cockpit au plus vite… Certes, le réservoir d'essence était théoriquement increvable et les combinaisons ignifugées miraculeuses. Malgré tout, si par hasard la voiture prenait feu, il aurait toutes les chances de se transformer en torche vivante.

Enseveli sous les pneus, Alex s'exhorta au calme. Même si son siège était conçu pour qu'il puisse facilement quitter le véhicule avec lui, sans détacher sa ceinture ni son harnais, il fallait respecter la procédure et attendre l'équipe de secours. Il était déjà arrivé qu'après un accident, un pilote désorienté titube jusqu'à la piste et se retrouve dans la trajectoire des voitures encore en course. Et de toute façon, comment soulever les pneus ?

Au comble de la frustration, Alex lâcha une bordée de jurons et s'écria :

— On peut faire un deuxième essai ? Je suis sûr que je peux être encore plus nul si je fais un effort !

Plusieurs secondes s'écoulèrent. S'efforçant d'ignorer son épaule et la claustrophobie qui le gagnait, il se concentra sur le rugissement des V8 qui passaient en trombe à quelques mètres. Soudain, un bruit de moteur tout différent se fit entendre. Les secours.

Dans l'atmosphère confinée, chargée d'odeurs d'essence et de caoutchouc chauffé, il poussa un soupir de soulagement. La course automobile était un sport dangereux. Très dangereux. Cependant, les risques liés à la vitesse procuraient une ivresse incomparable sans laquelle il ne pouvait imaginer de vivre. D'autant plus que piloter des bolides ne lui apportait pas seulement un plaisir immense. C'était le moyen d'évasion suprême. Or, quand on avait grandi à Wolfe Manor, le besoin de s'évader ne vous lâchait jamais…

Des voix étouffées parvinrent à Alex, tandis qu'une grue se mettait en action pour dégager les pneus qui recouvraient la voiture. Bientôt des traits de lumière percèrent l'obscurité, et la tête d'un commissaire de piste vêtu de sa combinaison orange apparut.

— Comment ça va ?

— Je survivrai.

Le commissaire avait déjà enlevé le volant et évaluait l'état de la cellule de sécurité comprenant le cockpit et le réservoir d'essence.

— On vous sort de là dans une minute.

Pour affronter l'humiliation ? Un tir nourri de questions ? Sans compter que, tôt ou tard, il devrait s'attaquer au problème qui avait provoqué ce désastre…

— Aucune chance de pouvoir rester tranquillement ici, je suppose ?

L'homme répondit à la moue ironique d'Alex par un regard compatissant.

La mâchoire de survie, puissant appareil de désincarcération, accomplit son travail en quelques minutes. Des mains expertes aidèrent ensuite Alex à s'extraire du cockpit et il eut alors l'impression qu'une pluie de flèches enflammées lui transperçait l'épaule droite. Lorsqu'il émergea des débris de ferraille, des cris de joie et des applaudissements fusèrent tout autour du circuit de l'Albert Park. Il cessa de soutenir son bras blessé le temps de saluer la foule, puis il monta dans le véhicule de sécurité qui l'attendait.

Quelques minutes plus tard, il était allongé sur un lit à roulettes sous la tente médicale, débarrassé de son casque et de sa combinaison. Le Dr Morrissey, médecin de l'écurie, examina son épaule, puis vérifia qu'il n'avait pas d'autres lésions. Il était en train de lui administrer un analgésique quand Jerry Squires, le propriétaire de l'écurie, arriva.

Fils d'un armateur britannique, Jerry Squires avait perdu un œil lorsqu'il était enfant. Il était connu pour son bandeau noir, mais aussi et surtout pour sa fortune colossale et son franc-parler. D'ordinaire impeccablement coiffés, ses cheveux gris étaient en bataille.

— C'est grave ? demanda-t-il au médecin.

— Il faut le soumettre à un examen complet… radios et IRM, répondit le Dr Morrissey en griffonnant des notes sur une tablette à pince. Il s'est déboîté l'épaule droite.

Jerry soupira.

— Deuxième course de la saison… Mais bon, il nous reste toujours Anthony.

En l'entendant mentionner le deuxième pilote de l'écurie, Alex se redressa, outré. Il n'était pas encore hors circuit ! Une douleur aiguë lui vrilla l'épaule et il dut s'adosser de nouveau aux oreillers. Couvert de sueur, il parvint néanmoins à arborer son sourire charmeur. Celui qui subjuguait les femmes séduisantes et, à l'occasion, les milliardaires ombrageux.

— Voyons, Jerry, tu as entendu le médecin. Ce n'est pas grave. Rien de cassé.

— Ça reste à déterminer, objecta le Dr Morrissey d'un ton réprobateur.

— Je crains que ton optimisme ne soit un peu excessif, Alex.

Jerry Squires jeta un coup d'œil par la fenêtre avant d'ajouter :

— Il aurait fallu mettre des pneus pluie.

Alex réprima un soupir. Il s'attendait à ce reproche. Un peu plus tôt, il avait expliqué aux techniciens pourquoi il préférait prendre le départ avec des pneus lisses. Le moment était venu de répéter ses arguments à l'homme qui avait déboursé des millions de dollars pour le faire courir comme pilote vedette…

— La pluie s'était arrêtée dix minutes avant le début de la course et la piste était en train de sécher. J'ai estimé que si je tenais pendant les premiers tours, ça me permettrait de prendre de l'avance par la suite pendant que mes concurrents seraient immobilisés aux stands pour changer leurs pneus pluie contre des lisses.

Jerry émit un grognement peu convaincu.

— Il fallait une meilleure adhérence pour passer cette chicane. Tu as fait le mauvais choix.

Alex serra les dents. Non, il n'avait pas fait le mauvais choix. Il avait juste commis une erreur fatale… Il s'était laissé distraire. S'il était resté concentré il aurait passé facilement cette chicane. Et gagné la course.

Tout le monde était capable de conduire par temps sec. C'était sur piste mouillée que se révélaient l'habileté, l'expérience et l'instinct d'un pilote. Il en avait déjà fait plusieurs fois la démonstration, après avoir travaillé avec acharnement pendant des années pour arriver là où il se trouvait aujourd'hui. Au sommet. Très loin de ce qu'il était autrefois. Un petit délinquant qui n'avait qu'une idée en tête : fuir le manoir familial, immense demeure sinistre où la vie était un enfer.

La course automobile lui avait permis de laisser tous ces souvenirs loin derrière lui.

Du moins jusqu'à ce qu'il reçoive ces courriels…

Tandis que Jerry et le médecin discutaient hors de portée de voix, Alex se remémora les messages de sa sœur Annabelle. Wolfe Manor ayant été déclaré bâtiment dangereux par le conseil municipal en raison de son délabrement, Jacob était revenu avec l'intention de redonner tout son lustre au domaine, situé dans la campagne anglaise au fin fond du Buckinghamshire.

Des images de couloirs sombres et de meubles poussiéreux s'imposèrent à l'esprit d'Alex et il crut sentir l'odeur âcre de l'haleine alcoolisée de son père. C'était comme si le voile qui séparait le passé du présent se déchirait… Il entendait les divagations d'ivrogne du défunt William Wolfe. Il sentit sa ceinture de cuir lui cingler la peau…

Pris de nausée, il réprima un juron.

Etant l'aîné, Jacob avait hérité de ce mausolée. Pourquoi voulait-il le restaurer ? S'il ne tenait qu'à lui, il l'aurait fait raser ! Même s'il y avait eu malgré tout de bons moments avec ses frères et sa sœur lorsqu'ils étaient enfants…

Alex ne put s'empêcher d'esquisser un sourire en repensant à l'autre nouvelle annoncée par Annabelle. Nathaniel, le benjamin du clan Wolfe — du moins en ce qui concernait les enfants légitimes — se laissait passer la corde au cou. Reconnue depuis de nombreuses années pour son talent, Annabelle serait la photographe officielle du mariage.

Alex avait suivi dans la presse les dernières étapes de la carrière d'acteur de son frère. Le soir où Nathaniel était sorti de scène alors qu'il débutait sur les planches dans le West End avait fait beaucoup de bruit. Ce qui ne l'avait pas empêché de décrocher par la suite l'oscar du meilleur acteur à Hollywood.

Alex se massa distraitement l'épaule.

Le petit frère était devenu un adulte, célèbre et visiblement amoureux. Le temps avait passé… Il revoyait encore Nathaniel tout petit faire le pitre pour les amuser, au risque d'être corrigé avec brutalité par leur père…

Un bruit de voix ramena Alex au présent. Jerry et le Dr Morrissey avaient fini leur conciliabule à l'autre bout de la pièce et ils le rejoignaient.

Sourcils froncés, le médecin ôta ses lunettes.

— Je vais essayer de remettre l'épaule en place tout de suite, puis tu seras transporté à l'Avenue Hospital de Windsor pour les examens.

— Et ensuite ?

— Quand nous aurons les résultats, nous verrons s'il faut opérer ou…

— Opérer ?

— … ou si un peu de repos combiné à de la rééducation suffira. Cette dernière solution est la plus probable, à mon avis. Cependant, ce n'est pas la première fois que cette épaule est touchée. Il va falloir la ménager pendant un certain temps.

— Du moment que je suis rétabli pour les qualifications du Grand Prix de Malaisie…

— Le week-end prochain ? Désolé, mais c'est hors de question, déclara le Dr Morrissey en se dirigeant vers son bureau.

Ignorant la douleur, Alex se redressa sur le coude gauche avec un petit rire désinvolte.

— Je pense être le plus à même de décider si je suis en état de piloter ou non.

— Comme pour le choix des pneus ? ironisa Jerry.

Alex réprima une réplique cinglante. Ce n'était pas le moment de s'énerver. D'autant plus qu'il ne pouvait s'en prendre qu'à lui-même… Il n'avait pas d'autre choix que de se soumettre. Temporairement, bien sûr. Déclarer forfait pour la prochaine course, d'accord. Mais il serait à Shanghai pour le Grand Prix de Chine, même s'il devait y laisser sa peau.

Avant tout, il faudrait réussir à éviter les journalistes. Après un accident aussi spectaculaire, il allait être harcelé de questions sur la gravité de ses blessures et leurs conséquences pour la suite de sa carrière. Il y aurait partout des photographes à l'affût, prêts à tout pour prendre le cliché de la saison. Le grand Alex Wolfe, le Fangio du XXIe siècle, grimaçant de douleur, le bras en écharpe… Pas question de laisser la presse le dépeindre comme un estropié sans avenir.

Se mettre à l'abri de cette curiosité malsaine était une priorité. Il allait se retirer dans sa propriété de Rose Bay, dans la banlieue de Sydney, et engager une kinésithérapeute spécialisée dans le traitement des sportifs de haut niveau. Il faudrait qu'elle soit très compétente, bien sûr. Mais également très compréhensive. Car il devrait ensuite obtenir coûte que coûte un certificat médical lui permettant de prendre part aux qualifications du Grand Prix de Chine. Quitte à user de son charme pour la gagner à sa cause…

Sous l'effet de l'analgésique, la douleur s'estompait peu à peu. Alex ferma les yeux. Une fois les examens terminés, il donnerait des instructions à son assistant, Eli Steele. Il fallait trouver la bonne kiné. Et vite. Il avait déjà beaucoup trop perdu dans sa vie.

Pas question de renoncer au championnat du monde.

2.

Au volant de sa voiture, Libby Henderson ne pouvait s'empêcher d'être impressionnée par l'imposante villa de Rose Bay qui se dressait au bout de l'allée bordée d'arbres. Elle souffla sur sa frange en se répétant pour la énième fois : « Je suis à la hauteur. Je n'ai aucune raison d'être nerveuse. »

La boule qui gênait sa respiration ne diminua pas pour autant. Dire qu'il n'y avait pas si longtemps, elle était pleine d'assurance… Rien ne lui faisait peur. Rien ne l'arrêtait. Ce qui lui avait permis d'atteindre des sommets vertigineux. Deux fois championne du monde de surf, elle se sentait alors invincible et délicieusement vivante. Par moments, elle avait encore du mal à croire que ce parcours exceptionnel avait connu une fin aussi abrupte.

Sa passion pour le surf était née très tôt. Ses parents l'appelaient leur petite sirène et elle passait tous ses loisirs dans l'eau. En plus du surf lui-même, elle pratiquait le kayak, la natation et le body-surf. Rien ne lui semblait plus excitant que de repousser toujours plus loin ses limites.

Avec le premier titre de championne du monde était venue la célébrité. Courtisée par les sponsors, encensée par la presse, elle était également sollicitée par des champions en herbe avides de conseils. L'horizon fourmillait de perspectives plus enthousiasmantes les unes que les autres.

Jusqu'à l'accident qui avait brisé sa carrière.

Heureusement, il y avait une vie après la gloire. Très différente, mais une vie quand même. Une fois surmontées les séquelles de son accident, elle avait repris ses études à l'université privée de Bond, près de Sydney, et obtenu un diplôme de kinésithérapeute. Aujourd'hui plus que jamais, elle était ravie que ses efforts aient été couronnés de succès.

Libby se remémora le coup de téléphone reçu le matin même. Le champion automobile britannique Alex Wolfe avait décidé de faire appel à ses services. Suite à l'accident survenu la semaine précédente sur le circuit du Grand Prix d'Australie, des séances de rééducation lui avaient été prescrites. L'assistant de M. Wolfe, un homme du nom d'Eli Steele, l'avait informée qu'après étude des références des kinésithérapeutes de la région, c'était elle que son patron et lui-même avaient sélectionnée.

Quelles références lui valaient-elles ce choix ? Certes la plupart de ses clients étaient des sportifs professionnels, mais elle n'avait jamais traité quelqu'un d'aussi célèbre qu'Alex Wolfe. Peut-être ce dernier était-il au courant de son passé de sportive professionnelle, songea Libby en se garant sur l'aire de stationnement au bout de l'allée. Mais savait-il comment s'était terminé ce chapitre de sa vie ?

Elle coupa le contact, ouvrit la portière et balança ses jambes dehors avant de se hisser sur ses pieds. Lissant la veste de son tailleur-pantalon crème et noir, elle contempla la villa de deux étages d'architecture ultramoderne, à la façade blanche et aux fenêtres bleues. Combien de chambres pouvait-elle comporter ? Nul doute que chacune était dotée d'une somptueuse salle de bains attenante. La maison était par ailleurs assez vaste pour abriter une piscine intérieure chauffée. Et quelque part dans le parc impeccablement entretenu devait se cacher un bassin olympique, peut-être agrémenté d'une plage artificielle où se prélasser pendant l'été…

A l'apogée de sa carrière sportive, elle avait gagné beaucoup d'argent, mais jamais assez pour vivre dans un tel luxe ! Il était vrai que la vente de produits dérivés — parfums, ligne de vêtements, jeux vidéo — devait contribuer pour une large part à la fortune d'Alex Wolfe. Succès, argent, physique de star de cinéma. Il avait tout pour lui.

Libby monta les marches donnant accès à la terrasse

située devant la maison. Celle-ci était décorée d'arbustes taillés, plantés dans de gros pots de terre cuite et d'un jasmin jonquille soutenu par un treillage. Elle ferma les paupières et huma avec délectation le parfum des grandes fleurs jaunes. Un petit soupir d'aise lui échappa.

— C'est une journée magnifique, n'est-ce pas ?

Parcourue d'un long frisson au son de la voix profonde teintée d'un léger accent anglais, Libby ouvrit les yeux. A quelques pas d'elle, sur le seuil de la villa, se tenait justement le champion qui avait tout pour lui.

Alex Wolfe.

A son grand dam, elle resta un instant pétrifiée, l'esprit engourdi. Jamais elle n'avait vu un homme aussi beau… Le sourire indolent qui étirait sa bouche sensuelle accentuait son charme ravageur. Tout comme ses cheveux blond foncé élégamment ébouriffés, qui bouclaient sur sa nuque et effleuraient le col de son polo vert. Et quelle carrure ! Il était d'une virilité à couper le souffle…

Mais attention. Si elle était là, c'était pour une seule et unique raison. Elle ne devait pas l'oublier.

Prenant une profonde inspiration, elle accrocha à ses lèvres un sourire chaleureux mais professionnel et s'avança vers Alex Wolfe. Il avait un bras bandé, soutenu par une écharpe bleu marine… détail qui lui avait échappé jusque-là tellement elle était subjuguée. Il était vraiment urgent qu'elle reprenne ses esprits !

— Bonjour, je suis Libby Henderson. J'admirais votre villa. Le parc a l'air splendide, lui aussi.

— Oui, c'est un endroit agréable. Comme le temps. J'apprécie beaucoup mes séjours en Australie.

Plongeant son regard gris ardoise dans celui de Libby, Alex ajouta :

— Je vous offrirais bien mon bras, mais…

— Votre épaule droite vous en empêche.

— Rien de grave, répliqua-t-il en s'effaçant pour la laisser passer.

Libby pénétra dans le hall de la villa, plus vaste que son modeste appartement de Manly, en réprimant une moue dubitative. Si Alex Wolfe avait été hospitalisé et si le médecin de l'écurie lui avait prescrit six semaines de rééducation intensive, cela signifiait au contraire que sa blessure n'était pas anodine.

Pour sa part, elle était chargée de le traiter jusqu'à ce qu'il retrouve l'usage normal de son bras. Et quels que soient ses efforts pour minimiser l'importance de ses lésions, c'était exactement ce qu'elle comptait faire. Nul doute qu'il était du genre à vouloir reprendre la compétition sans attendre. Ce qu'elle comprenait, bien sûr. Malheureusement pour lui, c'était exclu.

— Puis-je vous offrir un rafraîchissement, mademoiselle Henderson ?

— Non merci, répliqua-t-elle avant de suivre son hôte à travers le hall.

Pourquoi avait-elle l'impression qu'au lieu d'un simple jus de fruit, il lui aurait servi du champagne ? Malgré la hauteur sous plafond, le sol de marbre et un splendide escalier de bois en colimaçon, elle était plus fascinée par la démarche souple de son hôte que par le décor. S'il n'avait pas été devant mais derrière elle, aurait-il détecté une particularité dans sa façon de marcher ? Non, certainement pas, se rassura-t-elle aussitôt. Un homme qui avait fréquenté plusieurs top models et au moins une princesse ne risquait pas de lui prêter assez d'attention pour remarquer quoi que ce soit.

— Nous allons nous installer dans le solarium pour discuter, annonça-t-il en ouvrant une porte à double battant.

Il s'effaça pour la laisser passer et indiqua trois canapés de cuir blanc disposés en U devant une large baie vitrée. Celle-ci ouvrait sur la piscine extérieure qu'elle avait imaginée quelques instants plus tôt, constata-t-elle. Pas de plage artificielle, cependant… Le bassin était flanqué d'un Jacuzzi imposant et d'un salon de jardin en osier blanc. A proximité se trouvait un pavillon construit dans le même style que la villa et assez vaste pour accueillir une famille nombreuse.

Une centaine de mètres plus loin, on apercevait un bâtiment massif, relativement bas. Un garage, sans doute. Le monde entier savait qu'Alex Wolfe soignait ses voitures…

— Installez-vous, je vous en prie.

Libby s'assit, et à sa consternation un frisson la parcourut lorsque Alex s'installa à côté d'elle plutôt qu'en face, comme elle s'y attendait. Pourquoi était-elle aussi troublée ? Il n'y avait pourtant rien d'ambigu dans le comportement de son hôte. Un bon mètre les séparait. Mais impossible d'ignorer la virilité qui émanait de tout son être. Pas de doute, elle n'avait jamais rencontré un homme aussi sexy.

Elle s'écarta légèrement, tandis qu'il allongeait les jambes et croisait les chevilles. Il portait des chaussures italiennes. C'était le genre de détail qu'elle remarquait, depuis son accident…

— Alors dites-moi, mademoiselle Henderson, quel est le programme ?

— J'ai étudié votre IRM, ainsi que le compte rendu de l'orthopédiste. Il apparaît que l'accident n'a pas provoqué une luxation de l'épaule mais seulement une subluxation. Savez-vous ce que cela signifie ?

— Que mon épaule ne s'est pas complètement déboîtée.

— En effet.

Un sourire enjôleur étira les lèvres d'Alex et Libby ne put s'empêcher d'être éblouie. « Pour l'amour du ciel, concentre-toi sur ton travail ! » se morigéna-t-elle aussitôt. Si elle était là, ce n'était pas pour se pâmer devant Alex Wolfe, mais pour faire en sorte que son accident ne lui laisse aucune séquelle. Avec un peu de chance, il vanterait ses mérites, et d'autres sportifs de son envergure feraient appel à elle. Ce qui serait excellent pour sa réputation.

Lorsqu'elle avait repris ses études, elle s'était fixé comme objectif de travailler avec des sportifs de haut niveau, des gens qui auraient besoin de quelqu'un capable de traiter leurs problèmes physiques mais aussi de comprendre leur psychologie. Des gens motivés, prêts à fournir tous les efforts nécessaires pour retrouver une forme olympique. Elle aurait tellement aimé avoir cette possibilité après son accident…

— Votre dossier médical fait mention d'une déchirure

des ligaments à cette épaule pendant votre adolescence, reprit-elle.

Une ombre furtive voila le regard d'Alex Wolfe. A moins que ce ne soit un effet de son imagination, songea-t-elle quand il répondit avec un nouveau sourire ensorceleur :

— Chute de moto.

Elle hocha la tête. Amateur de sensations fortes, bien sûr…

— Je vois.

— Vous aimez les sports mécaniques, mademoiselle Henderson ?

— Je suis plus attirée par les sports nautiques.

— Natation ? Ski nautique ?

Les joues en feu, Libby lissa son pantalon. Pas question de se laisser entraîner sur ce terrain.

— Excusez-moi, mais j'ai d'autres rendez-vous. Il serait préférable de ne pas nous disperser.

Alex lui lança un regard aigu.

— Votre métier doit être très prenant.

— Oui, en effet.

— Mais j'imagine que vous êtes libre le week-end.

— Il m'arrive de travailler le samedi.

— Jamais le dimanche ?

— Vous pensez avoir besoin de mes services le dimanche ?

— Pour l'instant, je pense que nous pourrons nous contenter des autres jours de la semaine.

— Nous voir un jour sur deux suffira.

— Je préfère tous les jours. Mais ne vous inquiétez pas, ça ne durera pas longtemps. Je vous promets de me rétablir très vite.

Libby prit une profonde inspiration. Le sourire de cet homme était redoutable, mais c'était sur ses propos qu'elle devait se concentrer. Plaisantait-il ? Ou bien se croyait-il invincible ?

Personne n'était invincible.

Elle était bien placée pour le savoir.

— Nous avons évoqué votre précédente blessure, rappela-t-elle. Votre épaule vient de subir un nouveau traumatisme alors qu'elle était déjà fragilisée. Pour qu'elle retrouve à la fois sa mobilité et sa stabilité, il faut renforcer les ligaments et les muscles qui entourent l'articulation. Ce qui suppose de suivre scrupuleusement le programme de rééducation prescrit par votre médecin.

Alex considéra longuement Libby, une lueur flatteuse dans les yeux.

— Je vois.

S'efforçant de surmonter son trouble, elle s'éclaircit la voix.

— Le choc subi lors du dernier accident a déplacé la tête de l'humérus, provoquant une subluxation antéro-interne qui…

Elle fut interrompue par un petit rire.

— Vous êtes trop technique pour moi, docteur !

— Je ne suis pas médecin mais kinésithérapeute, membre de l'Association australienne de physiothérapie.

— Et vous tenez mon avenir entre vos mains. Je vous appellerai donc « docteur ». Si vous le permettez, bien sûr…

Après une brève hésitation, Libby hocha la tête. Après tout, c'était lui qui payait la facture.

— Si vous y tenez…

— Vous disiez donc, docteur ?

— La tête de l'humérus, qui est arrondie, s'articule avec l'omoplate — presque plate comme son nom l'indique — par l'intermédiaire de ligaments. L'ensemble de ces ligaments constitue ce qu'on appelle la capsule. Suite à votre accident, cette capsule s'est détachée en partie du rebord de l'omoplate.

Pour illustrer son explication, Libby ferma un poing, l'appliqua contre la paume de son autre main, puis l'écarta.

— Je vois… La tête de l'humérus s'articule avec l'omoplate.

Alex ferma un poing à son tour et l'appliqua contre la paume de Libby avant qu'elle ait le temps de baisser la main. Elle tressaillit, électrisée. Le regard pénétrant des yeux gris accentua son trouble et elle sentit quelque chose de chaud se nouer au creux de son ventre.

Déglutissant péniblement, elle cala une mèche de cheveux derrière son oreille. Etait-il en train de flirter avec elle ? Ça paraissait insensé, et pourtant… Mais non, elle devait se tromper. Il y avait si longtemps…

Sa dernière relation amoureuse avait pris fin quatre mois après l'accident. A l'époque, elle considérait le surfeur Scott Wilkinson comme l'homme le plus sexy du monde. Aujourd'hui elle avait devant elle la preuve vivante qu'elle se trompait. Alex Wolfe avait un charme diabolique. Les femmes que son sourire laissait de glace ne devaient pas être nombreuses. De toute évidence, il était aussi doué pour la séduction que pour la course automobile. Mais de là à imaginer qu'il pouvait s'intéresser à elle…

De toute façon, c'était un client, se rappela-t-elle fermement. Redressant les épaules, elle déclara :

— Nous allons mettre l'accent sur les exercices destinés à renforcer les ligaments. Quand voulez-vous commencer, monsieur Wolfe ?

— Appelez-moi Alex.

Libby eut une nouvelle hésitation. Refuser semblait difficile…

— Si vous voulez.

— J'y tiens. Si nous commencions demain ?

— Parfait. Je suppose qu'il est inutile de vous préciser qu'il faudra travailler dur. Et très régulièrement, bien sûr.

— Bien sûr. Et je ne doute pas que, grâce à vous, je serai prêt à temps.

— A temps pour quoi ?

— Le week-end prochain, je ne courrai pas le troisième Grand Prix de la saison, mais je compte bien participer au suivant, qui aura lieu dans un mois.

Libby faillit s'esclaffer. Quel humour ! Sauf qu'Alex Wolfe n'avait pas l'air de plaisanter… A en juger par son air déterminé, il était très sérieux.

— Votre médecin estime que vous ne serez pas en état de reprendre votre activité avant au moins six semaines, fit-elle valoir d'un ton neutre.

— Nous lui prouverons qu'il se trompe.

Libby secoua la tête. Il fallait absolument mettre les choses au point.

— Comme votre médecin a déjà dû vous l'expliquer, repousser le traitement peut conduire à des complications.

Les radios montrent une usure très nette de la tête de l'humérus et…

— D'après mon assistant, vos clients louent vos capacités à accomplir des miracles.

— Je ne suis pas une magicienne, monsieur Wolfe.

— *Alex…*

Devant l'éclat des yeux gris plongés dans les siens, Libby sentit une vive chaleur l'envahir. Mon Dieu, pourquoi cet homme lui faisait-il un tel effet ? Affolée par l'intensité des sensations qui l'assaillaient, elle se leva. Trop vite. Déséquilibrée, elle tendit le bras vers le dossier du canapé pour se retenir, mais Alex avait déjà bondi sur ses pieds. Elle s'affaissa contre lui, tandis qu'il glissait un bras autour de sa taille.

Le souffle coupé, elle dut faire appel à toute sa volonté pour s'écarter de lui.

— Ça va ? demanda-t-il.

— Oui, merci.

Elle prit une profonde inspiration.

— Vous avez l'adresse de mon cabinet, je suppose.

— Je préfère que les séances se déroulent ici.

— Mais… tout le matériel se trouve à mon cabinet !

— Je vais être franc avec vous.

Alex enfonça les mains dans ses poches.

— Je tiens à rester discret. Ma situation est déjà assez délicate. Je n'ai aucune envie de voir s'étaler dans la presse des titres insinuant que je suis estropié et que ma carrière est fichue.

Libby eut l'impression de recevoir une gifle. Il ne pouvait pas savoir à quel point il était douloureux pour elle d'entendre de tels propos, bien sûr. Cependant, à en juger par son air perplexe, son désarroi ne lui avait pas échappé. Il fallait être prudente…

Calant ses cheveux derrière ses oreilles, elle accrocha à ses lèvres un sourire qu'elle espérait convaincant.

— Je comprends votre désir de discrétion, mais je crains que…

— Vous disposerez de tous les équipements nécessaires. Mon assistant vous appellera et il vous suffira de lui donner vos instructions. Tout sera prêt demain. Et bien sûr, en dédommagement de la gêne occasionnée par les déplacements, je doublerai vos honoraires.

Libby considéra Alex avec stupeur. Certaines de ses déclarations précédentes lui revenaient soudain à la mémoire. « Grâce à vous je serai prêt à temps », « Nous lui prouverons qu'il se trompe »... Croyait-il pouvoir la soudoyer pour qu'elle réduise la durée du traitement et lui fournisse un certificat de complaisance ? Etait-ce avec cette arrière-pensée qu'il lui faisait du charme ? Mais quoi d'étonnant à cela ? Alex Wolfe devait avoir l'habitude que les gens se plient à sa volonté. Si elle refusait sa proposition, nul doute qu'il trouverait une autre kiné moins scrupuleuse.

Ce qui lui laissait deux possibilités.

Soit elle acceptait de le traiter chez lui, suggérant par là-même qu'elle était prête à accéder à toutes ses demandes, et donc à lui donner le feu vert pour reprendre la compétition plus tôt que prévu. Soit elle lui expliquait que pour elle la déontologie passait avant tout le reste et qu'il n'avait aucune chance de la corrompre. Ou alors...

Il y avait une troisième solution.

— C'est d'accord.

Une lueur étrange s'alluma furtivement dans les yeux gris de son interlocuteur. Alex Wolfe était-il déçu qu'elle cède aussi facilement ? Peut-être. Sans doute s'attendait-il à ce qu'elle exprime des réticences, au moins pour la forme. S'il savait quelles étaient ses véritables intentions... Mais il les découvrirait le moment venu.

— Je serai à mon cabinet dans une demi-heure. Votre assistant pourra m'y joindre quand il le voudra.

— Je sens que je vais aimer travailler avec vous, docteur, commenta Alex en la raccompagnant jusqu'à la sortie.

— Voulez-vous que je porte une blouse blanche et un stéthoscope autour du cou pendant nos séances ? ironisa-t-elle.

Elle eut droit à un nouveau sourire charmeur.

— N'hésitez pas à mettre une tenue confortable, en tout cas. Pour ma part, c'est mon intention.

— Oh ! en matière de vêtements, il faudra se borner au strict minimum, répliqua-t-elle d'un ton délibérément désinvolte. Du moins en ce qui vous concerne… Mais ne vous inquiétez pas, j'ai l'habitude.

Alex Wolfe se figea, la main tendue vers la poignée de la porte.

Ravie de son air interdit, elle ouvrit la porte elle-même en ajoutant :

— A demain, donc. 9 heures précises.

Elle s'éloigna, consciente qu'il la suivait du regard. Après le numéro de charme qu'il venait de lui faire, il avait bien mérité qu'elle se paye un peu sa tête !

Toutefois, elle comprenait ce qu'il ressentait ; elle connaissait la passion de la compétition. La volonté farouche d'atteindre l'objectif qu'on s'était fixé. Et la détresse qu'on éprouvait quand on perdait ses moyens. Quand il devenait impossible de poursuivre son rêve…

Sauf que pour Alex Wolfe, c'était provisoire. Six semaines de rééducation ? Il ne connaissait pas sa chance !

Cependant, pour gagner la bataille, il allait lui falloir être très patient. Et cela, elle l'amènerait peu à peu à l'accepter. Au bout de quelques séances, il commencerait à sentir les premiers résultats positifs de la rééducation. Le moment venu, elle lui démontrerait qu'il pouvait être néfaste — et même catastrophique — de reprendre la course trop tôt.

D'ici là, elle resterait vigilante. Elle était très sensible à son charme et il le savait. De toute évidence, il croyait pouvoir la manipuler afin d'obtenir ce qu'il voulait.

Elle lui prouverait qu'il se trompait.

Libby monta dans sa voiture. Elle s'apprêtait à mettre le contact lorsque son cœur se serra au souvenir de la gifle cinglante qu'il lui avait assenée sans le savoir. Lentement, elle fit glisser ses doigts le long de sa cuisse gauche jusqu'à la rotule, où commençait sa prothèse.

Estropiée…

Elle avait cessé depuis longtemps de s'apitoyer sur son sort et de se demander sans relâche : « Qu'est-ce que j'ai fait pour mériter ça ? » Avec le soutien de sa famille, de ses amis et des médecins, elle avait surmonté cette phase de dépression. Soigner d'autres sportifs avait redonné un sens à sa vie.

Mais au souvenir de la lueur appréciatrice qu'elle avait surprise à plusieurs reprises dans les yeux gris d'Alex Wolfe, elle sentit sa gorge se nouer.

La trouverait-il moins séduisante s'il savait ?

3.

Un sourire intrigué aux lèvres, Alex regarda la voiture gris métallisé de Libby s'éloigner dans l'allée.

Mlle Henderson ne manquait pas de charme. Grands yeux ambre pleins de promesses, boucles blondes ruisselant sur les épaules, et courbes très féminines que ni sa grande taille ni son tailleur-pantalon ne parvenaient à masquer…

Mais surtout, elle avait du caractère. Elle avait accepté ses conditions sans pour autant hésiter à le remettre à sa place. Cette façon de suggérer que le voir presque nu pendant les séances ne lui ferait ni chaud ni froid… Très habile. Sauf qu'entre eux, c'était électrique. Quand son poing était entré en contact avec sa paume, il y avait eu des étincelles.

Elle était la kiné idéale pour le job, même s'il ne se faisait aucune illusion. Etant donné l'ancienneté de certaines lésions, elle ne pourrait pas accomplir de miracles, malgré tout son talent et toutes ses compétences. Mais l'essentiel était d'obtenir le feu vert pour le Grand Prix de Chine. Et si par hasard il fallait se montrer plus persuasif que prévu, il n'était pas opposé à l'idée de jouer jusqu'au bout le jeu de la séduction. A vrai dire, il trouvait même cette perspective assez réjouissante. Ce léger déhanchement, quand elle marchait, était tout à fait délicieux…

Mais pour l'instant, il avait du travail. Il fallait préparer la visioconférence de demain avec le directeur de la société qui commercialisait sa gamme de parfums. Il était assez riche pour ne pas avoir besoin de gagner encore plus d'argent, mais quand les affaires marchaient, il était stupide de ne pas en profiter.

Alors qu'il était sur le point de rentrer dans la villa, Alex vit arriver la voiture de sport noire d'Eli Steele. Il eut un sourire appréciateur. Son assistant n'était pas seulement un précieux collaborateur ; il avait du goût en matière de voitures.

Quelques instants plus tard, Eli le rejoignit.

— Je suppose que c'est la voiture de la kinésithérapeute que je viens de croiser. Comment ça s'est passé ?

— Très bien. Bravo pour ton choix.

— Alors, elle est engagée ?

— Je lui ai expliqué que je devais absolument prendre le départ du Grand Prix de Chine.

Alex eut un sourire satisfait. La période de rééducation serait ainsi réduite à quatre semaines au lieu des six prescrites par le médecin, ce qui lui laisserait toutes ses chances de garder son titre de champion du monde.

— Et vous êtes tombés d'accord là-dessus ? demanda Eli en le suivant dans le couloir qui conduisait à son bureau.

— Y avait-il un doute à ce sujet ?

— Seulement pour moi, apparemment.

Alex plissa le front.

— Que veux-tu dire ?

— Elle a la réputation d'être très efficace mais également très pointilleuse. Je ne m'attendais pas à ce qu'elle accepte aussi facilement de se conformer à ton calendrier.

— On dirait même que ça te déçoit.

— Je sais que tu veux reprendre la compétition le plus tôt possible et que la douleur ne te fait pas peur. Malgré tout, il faudrait éviter de prendre trop de risques. C'est la deuxième fois que cette épaule est touchée. En cas de nouveau problème, tu pourrais bien te retrouver sur la touche beaucoup plus longtemps que six semaines.

Les deux hommes pénétrèrent dans le bureau, vaste pièce lumineuse dont les murs étaient tapissés de photos. Alex au volant sur les circuits du monde entier ou bien sur le podium, brandissant une coupe. Cependant, même s'il était fier de chacune de ses victoires, le trophée favori d'Alex restait une médaille improvisée, accrochée à un ruban bleu marine de mercerie. Fabriqué à l'aide d'un porte-clés et d'un morceau de volant, ce talisman lui avait été donné des années auparavant par son mentor, Carter White, l'homme à qui il devait tout.

En lui apportant son soutien et sa confiance, Carter avait fourni à l'adolescent rebelle qu'il était alors les outils nécessaires à sa réussite. Y compris l'affection paternelle qui lui manquait si cruellement. Soudain, le remords assaillit Alex. Il devait appeler Carter, un de ces jours…

Il prit sur son bureau l'étude prévisionnelle que lui avait envoyée le directeur de sa société. Sa marque connaissait un succès impressionnant, auquel n'était pas étranger son assistant ; Eli n'était jamais à court d'idées ni de stratégies fructueuses. Il ne le connaissait que depuis trois ans mais il avait avec lui des liens plus étroits qu'avec n'importe lequel de ses frères. Non qu'il en veuille à ces derniers. Le seul responsable, c'était l'homme qui avait détruit toute sa famille. William Wolfe, un monstre qui méritait de croupir en enfer.

Alex crispa la mâchoire. Il pensait beaucoup trop au passé, ces derniers temps… Mais comment faire autrement ? Il avait attendu d'être sorti de l'hôpital pour relire le courriel d'Annabelle et rédiger une réponse.

> Ravi d'apprendre que Jacob est de retour et Nathaniel sur le point de se marier. Dire que notre petit frère est en âge de se laisser passer la bague au doigt ! J'ai du mal à y croire… Je reprends contact avec toi très bientôt. J'espère que tu vas bien.
>
> Je t'embrasse.
>
> Alex.

Il avait pensé à téléphoner, mais il savait qu'Annabelle préférait les courriels. Lui aussi, d'ailleurs. Bien sûr, il leur arrivait de discuter de temps en temps… mais en évitant soigneusement les sujets trop douloureux. Jamais ils ne parlaient de cette nuit terrible… Ni de la femme renfermée qu'était devenue Annabelle, après avoir été une petite fille pleine d'entrain.

Alex s'assit dans son fauteuil de cuir et prit conscience qu'Eli lui parlait.

— … suis sûr que Libby Henderson te l'a expliqué.

Il s'efforça de se concentrer sur le présent. Eli évoquait sans doute des risques d'une nouvelle blessure à l'épaule.

— Je continuerai les exercices tout seul, assura-t-il. Et je suivrai à la lettre tous ses conseils.

— En espérant que tu ne te bousilles pas l'épaule définitivement en reprenant la compétition trop tôt.

Alex indiqua d'un signe de tête les photos qui recouvraient les murs.

— Il me semble que je m'en suis plutôt bien sorti jusqu'à présent.

Eli baissa les yeux et frotta la cicatrice qu'il avait au-dessus de la tempe. Comme chaque fois que quelque chose le chiffonnait…

Alex reposa les documents sur le bureau en soupirant.

— Vas-y, je t'écoute.

— Je pensais que Libby Henderson tenterait de te dissuader d'écourter la période de rééducation. Au moins pour la forme.

A vrai dire, il s'attendait à cette remarque, reconnut Alex intérieurement. Libby Henderson avait accepté son offre presque trop facilement. Toutefois, il y avait une explication très simple.

— L'argent est un argument magique. Vu ce qu'elle va gagner et les références que je vais lui fournir, elle serait stupide de ne pas sauter sur l'occasion.

— Peut-être… Mais je pensais que l'argent n'était pas sa principale motivation.

— Pourquoi ?

— Son nom ne te dit rien ?

Alex réfléchit un instant.

— Non.

— Il y a quelques années, Elizabeth Henderson a été championne du monde de surf.

Alex arqua les sourcils. Voilà d'où lui venaient son air assuré et son regard déterminé. Ainsi que son teint hâlé et ses boucles décolorées par le soleil. Championne du monde de surf…

— Je l'ignorais. Les sports nautiques, ce n'est pas mon truc.

Mais c'était celui de la jeune femme… Elle le lui avait dit elle-même, se souvint-il avant d'ajouter :

— Le sport féminin non plus ce n'est pas mon truc. C'est retransmis à la télé, le championnat du monde de surf féminin ?

Avec un sourire narquois, Eli prit les documents qu'Alex avait posés sur le bureau.

— Pour un homme intelligent, tu es incroyablement machiste.

— Tu me fends le cœur.

Alex eut un sourire malicieux avant d'ajouter :

— Ne t'inquiète pas, je m'en remettrai. En tout cas, je ne suis pas très surpris. J'ai vu tout de suite que Libby Henderson avait du caractère. Il en faut pour devenir championne du monde. Et ça n'est sans doute pas étranger non plus à la réputation qu'elle s'est forgée dans son nouveau domaine.

Les sourcils froncés, Eli étudiait les documents avec attention. On pouvait lui faire confiance pour repérer les détails importants. Rien ne lui échappait.

Alors, pourquoi… ?

Alex fit pivoter son fauteuil, dans un sens puis dans l'autre, avant de se décider à poser la question qui lui brûlait les lèvres.

— Pourquoi ne m'avais-tu pas informé que Libby Henderson avait été championne du monde de surf ?

— Je voulais que tu la rencontres sans idée préconçue.

— Je ne vois pas en quoi le fait de connaître ses exploits passés aurait pu être gênant.

Les yeux fixés sur les documents, Eli resta silencieux. Pourquoi avait-il le sentiment que son assistant ne tenait pas à poursuivre cette conversation ? se demanda Alex, de plus en plus perplexe. Son inactivité forcée le rendait-elle parano ? Ou bien Eli lui cachait-il vraiment quelque chose au sujet de Libby Henderson ?

De toute façon, il avait très envie d'en savoir plus au sujet de cette ex-reine du surf devenue la kiné préférée des sportifs professionnels. Cette curiosité était-elle due au fait qu'elle lui rappelait sa sœur ? Elle avait la même réserve qu'Annabelle, qui, plus jeune, était pourtant très démonstrative. Il aurait parié que Libby Henderson avait elle aussi un côté exubérant…

Dès demain, il approfondirait la question.

4.

Une demi-heure plus tard, Libby pénétra dans le vestibule de son cabinet. Payton Nagle, sa réceptionniste et amie âgée de vingt et un ans, demanda avec des yeux brillants :

— Alors… ce superchampion ?

Réprimant un sourire, Libby prit le courrier sur le comptoir.

— Athlétique.

— Il est aussi sexy qu'à la télé ?

— Encore plus.

Payton poussa un profond soupir.

— Franchement, Libby, je me demande comment tu fais pour rester aussi calme. A ta place, je serais excitée comme une puce !

— Je suis une professionnelle, Payton, répondit Libby d'un ton posé en examinant les lettres et les factures. Et les professionnels n'ont pas le droit d'être excités.

Du moins n'avaient-ils pas le droit de le montrer si par hasard cela leur arrivait…

Elle reposa le courrier sur le comptoir et regarda sa réceptionniste d'un air grave.

— Souviens-toi, pas un mot de mes rendez-vous avec Alex Wolfe. A personne. Il veut que les journalistes le croient en Angleterre. Il n'a aucune envie que la presse en fasse des tonnes sur sa blessure.

Il ne voulait pas passer pour un estropié…

S'efforçant de chasser cette pensée de son esprit, Libby consulta sa messagerie sur l'ordinateur de Payton, tandis que celle-ci levait la main en jurant qu'elle resterait muette.

— Tu lui as parlé de ta carrière de surfeuse ?

— Cette période de ma vie est derrière moi.

Payton plissa le front.

— Mais le titre de champion du monde… ça vous fait un point commun.

— Je ne suis pas allée là-bas pour papoter.

Elle n'était pas non plus revenue ici pour ça, d'ailleurs… Libby se dirigea vers son bureau.

— Il te plaît, n'est-ce pas ?

Elle pivota sur elle-même et roula les yeux.

— Payton, il est d'une arrogance insupportable. Imbu de sa supériorité…

Libby soupira.

— A part ça, aucune femme normalement constituée ne peut s'empêcher de le trouver irrésistible, reconnut-elle avant de gagner son bureau.

Elle ferma la porte et prit une profonde inspiration. Payton et elle avaient beau être amies, elle était avant tout l'employeur de la jeune fille. L'aveu qu'elle venait de lui faire était déplacé. A l'avenir, il faudrait éviter ce genre d'erreur.

Alex Wolfe avait des foules d'admiratrices dans le monde entier. Des femmes qui rêvaient de le rencontrer, qui imaginaient des baisers enflammés, des nuits torrides…

Libby se laissa tomber dans son fauteuil. Elle n'était pas différente de ses groupies. Il fallait qu'elle se ressaisisse.

Elle connaissait ce genre d'homme. Les grands champions n'avaient qu'une idée en tête : rester au sommet. Alex Wolfe était prêt à tout pour obtenir le feu vert qui lui permettrait de reprendre la compétition plus tôt que prévu, que son épaule ait retrouvé sa stabilité ou non. Mais il avait beau être irrésistible, elle ne se laisserait pas manipuler.

Désormais, devant lui elle ne serait plus qu'une kinésithérapeute concentrée sur son travail. Stoïque. Asexuée. Professionnelle jusqu'au bout des ongles.

Alors qu'elle s'apprêtait à trier les papiers éparpillés sur son bureau, Libby eut un pincement au cœur tandis que des souvenirs enfouis envahissaient son esprit.

Après son accident, elle s'était lancée à corps perdu dans

les études puis dans l'exercice de son métier. Trop accaparée par son travail pour avoir le temps de penser à autre chose. Ce qui lui convenait parfaitement.

Aujourd'hui, pour la première fois depuis des années, elle se surprenait à penser à sa vie d'avant. Fermant les yeux, elle se remémora le plaisir d'être embrassée par un homme, de se sentir désirée, de savourer le contact d'une autre peau contre la sienne. Elle se souvint également de l'ivresse procurée par la glisse sur la crête des vagues. Le tout se mêla dans son esprit et l'image d'un homme lui apparut. Les chevilles léchées par l'écume des vagues sur une plage, il avait un corps superbe et des yeux gris au regard pénétrant.

Elle sentit sa gorge se nouer. S'il y avait une chose dont elle était certaine, c'était qu'elle ne retournerait jamais au bord de l'océan. Même si l'eau lui manquait cruellement, c'était une épreuve qu'elle n'avait pas l'intention de s'infliger. Mais l'amour, le connaîtrait-elle de nouveau un jour ?

Jusque-là, elle avait toujours évité de se poser cette question. Toutefois, il fallait bien reconnaître que les rapports de couple lui manquaient. La complicité, l'échange, la tendresse, le sexe... C'était ridicule, mais elle ne pouvait pas s'empêcher de se demander...

Comment serait la vie avec Alex ?

Le lendemain matin, Libby arriva chez Alex Wolfe à 9 heures précises. Comme la veille, il l'accueillit sur le seuil, puis il la conduisit jusqu'à une salle de sport située à l'arrière de la villa.

Impressionnée, elle eut du mal à masquer sa surprise. Elle avait vu des clubs moins bien équipés ! Une gamme complète d'haltères, trois tapis de jogging dernier cri, deux rameurs, et tout un tas de matelas, ballons, poids et barres. Une petite fenêtre à double vitrage incrustée dans un mur lambrissé indiquait la présence d'un sauna. Nul doute que la piscine intérieure qu'elle avait imaginée n'était pas loin...

Non qu'elle ait l'intention de l'utiliser pendant les séances ; elle aimerait toujours l'eau sous toutes ses formes — salée, chlorée ou tombant du ciel — mais sa période sirène était terminée depuis longtemps.

Le bras en écharpe, Alex demanda :

— Voulez-vous une tasse de thé avant de passer aux choses sérieuses ?

Libby réprima un frisson. Cette voix profonde lui faisait un effet redoutable… Se cuirassant contre le trouble, elle posa son sac sur une table voisine et plongea son regard dans celui d'Alex. Sur les circuits automobiles il était peut-être le roi, mais pendant ces séances, c'était elle qui commandait, que ça lui plaise ou non.

— Notre temps est précieux, évitons de le gaspiller. Nous allons commencer par tester la mobilité de votre épaule.

Elle indiqua d'un mouvement du menton le bras immobilisé d'Alex Wolfe.

— Pour commencer, il faut enlever l'écharpe, bien sûr.

Un sourire enjôleur se dessina sur les lèvres d'Alex.

— Ma chemise aussi, je suppose ?

— Je vais vous aider, déclara-t-elle d'un ton professionnel.

Il pouvait déployer tout son charme si ça lui chantait, mais s'il espérait la déstabiliser de nouveau aujourd'hui, il allait être déçu. Elle avait pris une résolution et elle avait bien l'intention de la tenir.

Stoïque. Asexuée. Professionnelle.

Une fois Alex débarrassé de l'écharpe, elle entreprit de déboutonner sa chemise. Un subtil parfum d'agrumes effleura ses narines mais ce fut une autre odeur qui la fit frissonner. Une odeur musquée, purement masculine. Enivrante.

Une fois le dernier bouton défait, elle fit glisser la chemise sur ses épaules puis elle passa derrière lui pour finir de la lui enlever. Eblouie malgré elle par son dos musclé, elle se détourna aussitôt pour poser la chemise sur le dossier d'une chaise.

— Nous allons commencer par tester l'amplitude de vos mouvements.

Elle demanda à Alex de lever les bras perpendiculairement au corps, paumes face au sol, d'abord devant lui puis sur les côtés. Elle lui fit faire ensuite des rotations internes et externes de l'épaule, les mains derrière le dos. A chacun des mouvements, elle tournait lentement autour de lui en prenant des notes.

Alors qu'elle se trouvait face à lui, elle se surprit à étudier son torse d'un œil qui n'avait rien de professionnel et elle se maudit aussitôt. C'était pourtant le genre d'erreur qu'elle s'était promis de ne pas commettre ! Une grande partie de la nuit, elle était restée éveillée à se répéter qu'elle s'en sortirait très bien, quoi que lui réserve cette journée. Mais ce matin, elle avait manqué l'entrée de la propriété parce qu'elle appréhendait justement l'instant où elle se retrouverait devant Alex Wolfe à moitié nu…

S'humectant les lèvres, elle leva les yeux et distingua une lueur amusée dans le regard gris fixé sur elle. Les joues en feu, elle bredouilla :

— Vous… vous faites de l'exercice, apparemment.

Mon Dieu, elle était vraiment pathétique ! D'abord, il n'était pas dupe. Il avait très bien compris que ce n'était pas la conscience professionnelle qui l'avait poussée à le dévorer des yeux. Et ensuite, bien sûr qu'il faisait de l'exercice ! Il était champion du monde de Formule 1 ! Comme tout sportif de haut niveau qui se respectait, il s'entraînait. Nul doute que chacune des propriétés qu'il possédait à travers le monde était équipée d'une salle de sport et qu'il était conseillé par une armée de coachs et de nutritionnistes.

— Ce que je veux dire c'est que… malgré votre blessure, vous semblez en excellente condition physique.

Le sourire d'Alex s'élargit.

— Merci, docteur.

— A présent, nous allons tester la force de votre bras, annonça-t-elle d'une voix qu'elle espérait ferme.

— Que dois-je faire ?

Elle indiqua le miroir qui occupait tout un mur.

— Mettez-vous face au miroir. Je vais me placer derrière vous.

Il prit position, les pieds légèrement écartés.

— A présent, levez les bras de façon à ce qu'ils forment un angle droit avec votre corps.

Il s'exécuta sans effort.

— Vous ressentez une douleur ?

— J'ai l'impression que mon bras droit manque un peu de force.

« Un peu » ? Nul doute que c'était largement en deçà de la vérité…

— Nous allons vérifier ça. Je vais poser une main sur chacun de vos bras.

Au contact de sa peau sous ses paumes, elle fut parcourue d'un long frisson. Etait-ce un effet de son imagination, ou bien avait-il vraiment émis un gémissement assourdi ? Comme le ronronnement d'un chat se délectant à l'avance d'un bol de crème… Stop !

— Maintenant, je vais appuyer et vous allez essayer de résister.

Elle appuya avec la même force sur les deux bras. Le gauche resta en place, le droit s'abaissa. Dans le miroir, le visage d'Alex s'assombrit.

— Ne vous inquiétez pas, déclara-t-elle d'un ton apaisant. Vu votre blessure, c'est tout à fait normal. Nous allons arranger ça.

— Oui, à temps pour Shanghai.

Hérissée par son ton catégorique, elle s'exhorta néanmoins au calme. Il reprendrait la compétition quand son épaule serait consolidée. Pas avant. Mais ce n'était pas le moment de le lui préciser…

— Vous voulez bien vous allonger sur le lit de massage, s'il vous plaît ?

Alex la considéra avec une perplexité manifeste.

— Nous devrions peut-être commencer par quelque chose de plus… physique, déclara-t-il en tenant son bras blessé. Passer directement à l'action, en quelque sorte.

— Rassurez-vous, je sais ce que je fais.

— Je ne vois pas à quoi peut m'avancer de rester allongé.

— Faites-moi confiance.

Alex finit par s'exécuter en soupirant.

— Et maintenant ? demanda-t-il en fixant le plafond d'un air exaspéré.

Elle lui prit les deux mains et les posa sur son ventre, en s'efforçant de détourner les yeux de la toison brune qui descendait en pointe sous la ceinture de son pantalon.

— Levez lentement les bras.

— Jusqu'où ?

— Voyons ce que vous pouvez faire. Au début, je vais vous aider.

Prenant les mains d'Alex en sandwich entre les siennes, Libby lui fit lever les bras.

— Un, deux, trois… Maintenant, on baisse. Un, deux, trois…

Comment pouvait-elle parler d'un ton aussi calme alors que son cœur se déchaînait dans sa poitrine ?

— Ça va ?

— Combien de fois encore ?

— Quelques-unes.

Elle s'attendait à des protestations, mais Alex sembla se résigner. Tandis qu'ils poursuivaient la série, elle se concentra sur son épaule, ainsi que sur son visage, guettant d'éventuels signes de douleur. Mais à son grand dam, son regard était irrésistiblement attiré par son torse puissant, qui se soulevait au rythme de sa respiration.

Elle lui fit baisser les bras une dernière fois, puis le lâcha et s'écarta.

— Ça y est, c'est fini ? demanda-t-il avec une satisfaction manifeste.

— Nous allons enchaîner avec un exercice très facile et quelques massages.

Il émit un grognement dépité.

— Je n'ai pas besoin de massages. Et je ne veux pas non plus des exercices faciles.

Il pourrait aussi bien dire : « Vous me faites perdre mon temps. » Libby réprima un soupir. La rééducation d'Alex Wolfe allait être plus ardue que prévu. Il bouillait d'impatience et elle le comprenait. Il n'aurait pas été champion du monde s'il n'avait pas une mentalité de vainqueur. Cependant, cela n'excusait pas sa tentative à peine voilée de corruption. Ni le ton excédé qu'il venait d'employer.

Certes. Mais elle avait accepté de le traiter, et elle irait jusqu'au bout, qu'il apprécie ou non le programme qu'elle estimait indispensable à son rétablissement. S'il n'était pas satisfait de sa façon de travailler, il pouvait toujours décider de se passer d'elle. De son côté, il était hors de question qu'elle démissionne. Et encore moins qu'elle le laisse diriger les séances à sa guise. Après tout, s'il l'avait engagée, c'était parce qu'il avait jugé ses références convaincantes.

— Alex, j'apprécie votre… enthousiasme, mais je vais vous demander de me laisser décider du programme.

— D'accord. Du moment que nous sommes d'accord sur ce dont j'ai besoin…

— Je sais très précisément ce dont vous avez besoin, répliqua-t-elle en soutenant son regard.

Un regard dans lequel on pouvait lire que quiconque tenterait de s'opposer à sa participation au Grand Prix de Chine serait considéré comme un ennemi mortel… Mais alors qu'elle s'attendait à une mise au point péremptoire, Alex se détendit soudain et un sourire charmeur apparut sur ses lèvres.

— Ravi de voir que nous sommes sur la même longueur d'onde.

Ils poursuivirent la séance avec des exercices musculaires isométriques. Au bout d'une demi-heure, après avoir surpris une grimace de douleur, Libby décida de s'en tenir là.

— Ce sera tout pour aujourd'hui, déclara-t-elle en se dirigeant vers la table où était posé son sac.

Alex la suivit.

— Vous partez ?

— J'ai d'autres rendez-vous.

Pendant qu'elle cherchait ses clés de voiture dans son sac, il enfila tant bien que mal sa chemise et la laissa ouverte. S'il s'imaginait qu'elle allait la lui reboutonner, il allait être déçu… Elle quitta la salle de sport et il la suivit dans le couloir bordé de baies vitrées qui donnaient sur la piscine extérieure.

— Qu'y a-t-il là-dedans ? demanda-t-elle en indiquant le bâtiment massif et bas qu'elle avait déjà remarqué la veille, depuis le solarium.

— Devinez.

— Des voitures.

Alex sourit largement.

— Venez voir.

Libby ouvrit la bouche pour refuser, mais il ne lui en laissa pas le temps.

— Vous avez bien cinq minutes.

Elle avait une heure de battement avant son prochain rendez-vous et elle devait reconnaître qu'elle était très curieuse de savoir quel genre de voitures pouvait posséder un champion de Formule 1.

— Cinq minutes.

En suivant Alex, visiblement ravi de son intérêt, elle demanda :

— Comment est née votre passion pour les voitures ?

— Mon père en possédait toute une collection. Berlines et coupés, antiquités et modèles les plus récents, il y en avait pour tous les goûts. De temps en temps, je lui en empruntais une.

— Il devait avoir une grande confiance en vous.

— Oh, je ne lui demandais pas son avis ! Et j'ai vite été connu dans tout le Buckinghamshire pour mes virées.

— Connu ? De la police ?

Pour toute réponse, Alex se contenta de sourire, les yeux pétillant de malice.

— Comment réagissait votre père ?

Alex ouvrit la lourde porte du garage et alluma la lumière, dévoilant plusieurs rangées de voitures rutilantes, plus luxueuses les unes que les autres.

— Quel est le genre qui vous plaît ? demanda-t-il avec une fierté manifeste. La Ferrari F430 rouge est très populaire, bien sûr. Mais il y a également la voiture de sport anglaise classique, qui n'est pas mal non plus.

Le souffle coupé par ce spectacle d'un luxe extravagant, Libby murmura :

— Je n'ose pas imaginer le montant de votre prime d'assurance… Vous avez le même nombre de voitures dans toutes vos propriétés ?

— C'est ici que je cache le plus gros de ma collection. Cependant, j'en ai également un beau stock en France. Et aussi quelques-unes en Angleterre.

— Votre père doit être largement battu.

Alex avança dans le garage sans faire de commentaire. Libby plissa le front. Il n'avait pas répondu non plus à ses précédentes questions. Comment réagissait son père lorsqu'il le prenait à conduire ses précieuses voitures ? Mais s'il ne voulait pas en parler, c'était peut-être parce que son père n'était plus là…

— Il est toujours vivant ?

— Qui donc ?

— Votre père.

Alex caressa le capot d'un superbe coupé bleu.

— Il est mort.

C'était bien ce qu'elle pensait…

— Je suis désolée.

— Vous êtes sûrement la seule.

Abasourdie, Libby resta sans voix. A en juger par le visage fermé d'Alex, c'était un sujet délicat. La vie du champion de Formule 1 était sans doute plus complexe qu'on pouvait l'imaginer de prime abord. En tout cas, il avait visiblement de la rancune envers son défunt père. Quels autres secrets se dissimulaient derrière l'image que la superstar offrait à son public ?

Mais ça ne la regardait pas. Pas question de se montrer aussi curieuse que les journalistes. Tout le monde avait le droit de rester discret sur son passé. Alex Wolfe autant qu'elle…

— Excusez mon indiscrétion.

Le regard perdu dans le vague, Alex déclara :

— C'est curieux… Quelqu'un d'autre m'a fait penser à cette époque, récemment.

— Quelqu'un de votre famille ?

— Ma sœur jumelle.

— Vous avez une sœur jumelle ? Comment s'appelle-t-elle ?

— Annabelle. Elle m'a écrit un peu avant mon accident.

— Au sujet de votre père ?

— De sa propriété.

Alex se tourna vers Libby avec un sourire contraint.

— Notre frère aîné, Jacob, vient de réapparaître après une longue absence. Il a décidé de rénover Wolfe Manor, le domaine familial, avant que le conseil municipal ne le démolisse. Raser ce vieux tas de pierres serait pourtant la meilleure chose à faire.

— Ce domaine se trouve en Angleterre ?

— Oui, dans le Buckinghamshire, à proximité d'un petit village du nom de Wolfestone.

Libby secoua la tête. Combien de gens appartenaient à une famille qui avait donné son nom à un village ? Alex, pour sa part, ne semblait pas impressionné le moins du monde. Cependant, s'il parlait d'un ton désinvolte, ses yeux gris avaient perdu leur éclat habituel.

— Depuis combien de temps n'avez-vous pas vu votre frère aîné ?

Heureusement qu'elle avait décidé de ne pas se montrer indiscrète ! songea Libby avec autodérision. Mais elle savait que les fantômes du passé avaient tendance à devenir envahissants quand on était désœuvré. Alex ne devait pas avoir l'habitude de rester chez lui toute la journée ; l'inaction devait lui peser, et s'il avait envie de se confier au sujet de sa famille, elle était prête à l'écouter.

— Il y a presque vingt ans que Jacob a quitté Wolfe Manor. Il a disparu une nuit, sans dire au revoir.

L'espace d'un instant Alex baissa les yeux, l'air sombre. Puis son regard se posa sur une voiture de sport et son visage s'éclaira.

— Je vous proposerais bien de faire un tour dans ma Sargaris TVR mais j'ai vraiment besoin de mes deux mains pour la conduire.

Mais les voitures n'intéressaient plus Libby.

— Vous avez d'autres frères et sœurs ?

— Oh, oui ! Nous sommes presque assez nombreux pour former une équipe de football.

— Vous les voyez souvent ?

— Non. Et nous ne sommes jamais tous réunis en même temps.

Alex s'accroupit pour examiner les pneus d'une voiture.

— Et vous ?

— Moi ?

— Vous avez des frères et des sœurs ?

— Non.

— Et vos parents, vous les avez encore ?

— Oui, et ils se portent très bien.

— Que faisiez-vous avant de devenir kinésithérapeute ?

Alex se redressa et Libby sentit son estomac se nouer devant son regard pénétrant. De toute évidence, il se posait lui aussi des questions. Des questions auxquelles elle n'avait pas envie de répondre…

Elle cala une mèche de cheveux derrière son oreille.

— Je ne voulais pas me montrer aussi indiscrète, mais ça m'intéressait de savoir…

Sa voix s'éteignit, tandis qu'Alex se penchait vers elle dans une atmosphère soudain chargée d'électricité.

— Moi aussi ça m'intéresse de savoir, déclara-t-il d'une voix profonde.

Elle déglutit péniblement. A en juger par son regard, il était sincère. Mais qu'était-elle prête à lui révéler ? Son accident et l'amputation qui avait suivi n'étaient certes pas des secrets d'Etat. Cependant, elle avait pour principe de ne pas évoquer le passé. Elle ne voulait surtout pas qu'on lui témoigne de la pitié, ce qui était souvent la première réaction des gens.

Elle haussa les épaules d'un air qui se voulait désinvolte.

— Mon histoire n'est pas très intéressante.

— Pourtant, quand on est championne du monde de surf, la vie ne doit pas manquer de piquant.

Libby sentit un grand froid l'envahir. Il était au courant de sa carrière sportive ? Et il n'avait rien dit ? Que savait-il d'autre ?

Irritée, elle s'efforça de garder un ton courtois.

— Pourquoi ne m'avez-vous pas dit plus tôt que vous étiez au courant ?

— Je vous retourne la question. Pourquoi ne l'avez-vous jamais mentionné ?

Elle serra les dents. Ce ton inquisiteur était horripilant !

— Mon passé sportif ne risque en aucune manière de nuire à ma profession actuelle, monsieur Wolfe. Il représente plutôt un atout, au contraire.

Alex plongea son regard dans celui de Libby. Sa question silencieuse semblait s'inscrire en lettres géantes entre eux : « Dans ce cas, pourquoi ne pas en faire mention dans votre C.V. ? »

Le silence tendu se prolongea. Se sentant prise au piège, Libby jeta un coup d'œil sur sa montre. Il était grand temps de prendre congé.

— Il faut que je m'en aille. Je vais être en retard à mon prochain rendez-vous.

Après une brève hésitation, Alex hocha la tête.

— Je vous raccompagne.

Il la prit par le coude mais elle s'écarta vivement.

— C'est inutile. Prenez le temps de refermer le garage.

Au moment où elle se retournait pour gagner la sortie, une voiture garée dans un coin, à proximité d'une cible de jeu de fléchettes, attira son attention. Sa carrosserie bleu pastel était rongée par la rouille et son capot cabossé, comme si le conducteur était rentré dans un arbre. Que faisait cette épave au milieu de toutes ces voitures rutilantes ? Pas question de poser la question, cependant : la conversation avait déjà pris un tour beaucoup trop personnel.

Laissant Alex, Libby se dirigea vers la sortie. Désormais, elle garderait ses questions pour elle.

Et dans la mesure du possible, elle éviterait également de poser les mains sur lui.

5.

Deux semaines plus tard, Alex arpentait son bureau en passant nerveusement les doigts dans ses cheveux. Libby Henderson était partie une demi-heure plus tôt. Comme d'habitude, elle s'était montrée professionnelle jusqu'au bout des ongles pendant leur séance. Irréprochable.

Cette femme le rendait fou !

Pas parce qu'elle était inefficace. Car même si par moments il avait l'impression qu'il ne progressait pas assez vite, sa méthode semblait porter ses fruits. Son épaule était deux fois plus solide qu'au début des séances.

Non, le problème que lui posait Libby Henderson était d'un autre ordre.

Depuis le jour où ils avaient échangé quelques confidences dans le garage, elle s'était fermée comme une huître. Et en plus, elle n'en faisait qu'à sa tête !

Pourtant, même s'il avait préféré éviter de consigner sur le papier leur accord — pas très régulier —, il avait été parfaitement clair : en plus des soins, il avait besoin de son feu vert pour reprendre la compétition au bout de quatre semaines au lieu des six prévues initialement. En échange, il lui verserait une somme exorbitante et il chanterait ses louanges dans le monde entier. Certes, elle avait accepté ses conditions, mais il était de moins en moins convaincu qu'elle tiendrait parole.

Et ce n'était pas tout.

Malgré sa réserve, il était de plus en plus sensible à sa présence pendant leurs séances. Le son apaisant de sa voix.

Sa façon de caler ses cheveux derrière son oreille. Son sourire lorsqu'il réussissait un exercice… C'était ridicule, mais elle lui était devenue indispensable. Et plus elle gardait ses distances, plus il était déterminé à démolir le mur qu'elle avait dressé entre eux. Or, rien ne semblait pouvoir y ouvrir la moindre brèche. Ni le charme, ni le silence, ni même la mauvaise humeur. Que faire ? Il ne pouvait pas se permettre de manquer le Grand Prix de Chine. Il vivait pour courir. Pour gagner. Comment fléchir Libby Henderson ?

Ce matin, il lui avait demandé si elle faisait encore souvent du surf. Le regard qu'elle lui avait lancé aurait pu recouvrir de glace le Grand désert de Victoria. Bavarder avec lui était-il si désagréable ? Ou bien sa réserve avait-elle une cause plus profonde ? Un traumatisme ancien ? Par moments, elle lui rappelait Annabelle…

Il n'avait jamais tenté de percer la carapace de sa sœur jumelle. Comme lui, elle n'avait aucune envie de fouiller dans le passé au risque de rouvrir les vieilles blessures. Mais Libby…

Alex prit son téléphone et composa un numéro. Il se terrait chez lui depuis des semaines pour éviter les journalistes, mais aujourd'hui, il n'avait plus le bras en écharpe. Personne ne pouvait deviner qu'il avait un problème à l'épaule. Et s'il restait enfermé chez lui une journée de plus, il allait devenir fou. Il connaissait la personne idéale avec qui s'offrir une escapade. La même personne à qui il avait une question à poser. Et dont il attendait une réponse.

Assise à son bureau dans son cabinet, Libby regardait les notes qu'elle avait griffonnées. Presque midi et elle n'avait pas avancé dans la rédaction du discours qu'elle devait faire le mois prochain au dîner de l'Association australienne de physiothérapie… Impossible de se concentrer.

Toutes ses pensées tournaient autour d'Alex Wolfe et de sa fâcheuse tendance à être tour à tour charmant et odieux. Chaque matin, il rechignait à effectuer les exercices qu'elle lui indiquait. Malgré des progrès très nets, il trouvait visiblement ce travail trop répétitif et indigne de lui. Mais même les demi-dieux devaient parfois faire preuve d'humilité et admettre qu'ils étaient vulnérables. Si Alex ne suivait pas le programme de rééducation à la lettre, il risquait un jour de se retrouver sur la table d'opération.

Griffonnant distraitement un coquillage dans la marge du brouillon de son discours, Libby se remémora l'époque où elle aussi refusait la rééducation. Pendant les premières semaines, elle avait été au comble de la colère et de la frustration. Elle avait perdu le surf, son fiancé… A quoi bon faire des efforts ?

Dieu merci, cette phase n'avait pas duré. Jamais elle n'oublierait la patience des kinés qui l'avaient soutenue, sans jamais se lasser de lui expliquer pourquoi elle devait suivre le programme qui lui avait été prescrit. Comme eux, elle ne renoncerait pas, quels que soient les efforts d'Alex pour la détourner de son objectif.

Un bruit de pas précipités interrompit les pensées de Libby. Payton fit irruption dans son bureau, tout essoufflée.

— Tu ne devineras jamais qui est là !

S'efforçant de garder son calme, Libby posa son stylo.

— Vu la couleur de tes joues, je parierais sur Alex Wolfe.

Déjà la haute silhouette d'Alex se profilait derrière Payton. Il s'encadra dans la porte, sourire enjôleur aux lèvres.

Aussitôt envahie par une vive chaleur, Libby déglutit péniblement. Serait-elle un jour immunisée contre le charme diabolique de cet homme ? Pas étonnant que la pauvre Payton soit dans tous ses états…

Couvant leur visiteur d'un regard ébloui, la réceptionniste déclara :

— Je lui ai dit que ça ne te dérangerait pas s'il venait directement dans ton bureau.

— Merci, Payton.

Libby se leva.

— On vient de sonner à la porte. Si tu veux bien aller voir qui c'est.

Après le départ de la jeune fille, Libby fit le tour de son bureau et s'y appuya en croisant les bras.

— C'est une surprise de vous voir ici.

— Vous avez oublié ?

Elle arqua les sourcils.

— Oublié quoi ?

De cette démarche souple qui la fascinait, il s'avança vers elle.

— C'est notre anniversaire. Ça fait juste deux semaines aujourd'hui.

Elle ne put s'empêcher de pouffer. Autant il pouvait être insupportable, autant il pouvait être charmant…

— En effet. Mais… vous n'êtes pas venu en voiture, j'espère ?

Elle lui avait dit ce matin même qu'il était préférable d'attendre encore quelques jours avant de recommencer à conduire en ville.

— Je suis sûr que j'aurais pu, mais j'ai fait appel à un chauffeur.

— Vous avez pris un taxi ?

— Une limousine.

Libby leva les yeux au ciel. Pour quelqu'un qui voulait passer inaperçu, ce n'était pas le moyen de transport le plus indiqué.

— Je croyais que vous vouliez rester discret.

— Mon accident est de l'histoire ancienne, aujourd'hui.

Il n'avait pas tort… Rien ne se périmait plus vite que les nouvelles. Cependant, une célébrité de l'envergure d'Alex Wolfe attirait les paparazzi en toute circonstance. Mais à présent qu'il n'avait plus le bras en écharpe, peut-être estimait-il qu'un peu de publicité positive ne pouvait pas lui faire de mal. Peu importait. Cela ne la regardait pas, se rappela Libby avec fermeté.

— Vous avez du travail ? ajouta Alex.

— J'ai toujours du travail.

— Mais vous faites une pause pour déjeuner, je suppose ?

— En général, je commande un sandwich.

— Pas aujourd'hui. Prenez votre veste.

— Pardon ?

— Je vous emmène déjeuner.

Abasourdie, Libby repassa derrière son bureau et se rassit dans son fauteuil.

— Il ne serait pas approprié que notre relation dépasse le cadre de…

— Aurais-je plus de chance si je disais « s'il vous plaît » ? coupa Alex avec un sourire charmeur.

— Je suis désolée, mais j'ai du travail.

Reprenant son stylo, elle feignit de se concentrer sur ses notes.

— Des rendez-vous ?

— Un discours à écrire.

— Je suis très doué pour ça. Nous pourrons en discuter pendant le déjeuner.

Alex s'appuya sur le bureau et se pencha vers Libby.

— Ou bien je peux acheter des plats à emporter. Pour pique-niquer ici.

Son regard fut attiré par une photo accrochée au mur derrière elle. Il plissa les yeux.

— Mais c'est vous !

L'estomac de Libby se noua.

— Oui, c'est moi, il y a longtemps.

Et maintenant, il allait lui demander comme ce matin si elle faisait encore souvent du surf… Question à laquelle elle n'avait aucune envie de répondre.

Mais il se contenta d'arborer un nouveau sourire.

— Allons, docteur… La limousine attend.

Elle soupira.

— Vous ne renoncez jamais, n'est-ce pas ?

— J'ai fait tout ce que vous avez demandé ces deux dernières semaines. Nous méritons un moment de détente.

— Vous avez fait *tout* ce que j'ai demandé ?

Devant l'air indigné de Libby, Alex rit.

— D'accord… peut-être qu'à certains moments vous avez été obligée d'insister un peu…

Libby ne put s'empêcher de rire à son tour. Elle s'était promis d'avoir terminé le brouillon de son discours avant la fin de la semaine... Mais elle avait faim. Peut-être aurait-elle l'esprit plus clair après un bon repas. C'était une excellente raison d'accepter l'invitation d'Alex. La *seule* raison. Cependant, il ne fallait pas se faire d'illusions. La conversation allait sûrement prendre rapidement un tour personnel... A propos, avait-il reçu d'autres nouvelles de sa sœur à propos de ce mystérieux frère aîné ?

Elle se leva.

— Une heure.

— Une heure seulement ? Nous en discuterons en déjeunant.

Vingt minutes plus tard, la limousine s'arrêta devant un petit restaurant pittoresque et un délicieux arôme d'épices assaillit les narines de Libby. Le restaurant s'appelait La Perle de Malaisie.

Elle jeta un coup d'œil à Alex.

— Faut-il voir une allusion dans le choix de cet endroit ?

— Comme je n'ai pas pu courir sur le circuit de Sepang et que je n'irai pas en Malaisie cette année, j'ai eu envie de savourer quelques spécialités du pays.

— Vous aimez la cuisine malaise ?

— Beaucoup.

Ils prirent le passage en planches qui conduisait au restaurant et passèrent devant une fontaine de galets. A l'intérieur, le décor sobre et discret créait une atmosphère apaisante. Ils furent conduits à une table isolée du reste de la salle par des bambous et des feuilles de palmier, et située à côté d'une grande fenêtre donnant sur la baie de Sydney.

— Vous aimez la Malaisie ?

— Je ne connais pas grand-chose en dehors de Sepang, le district où se trouve le circuit international qui accueille le Grand Prix de Malaisie ; il est situé à quelques minutes de l'aéroport international de Kuala Lumpur. Mais j'ai l'intention de visiter un jour la Malaisie pour mon plaisir.

— Ce n'est pas lassant de ne jamais défaire ses valises ?

Alex plongea son regard dans celui de Libby.

— Voilà une question étonnante de la part de quelqu'un qui a dû connaître ce genre de vie.

Elle fut soudain assaillie par une bouffée de nostalgie. Il ne lui arrivait pas souvent de penser à l'époque où elle parcourait le monde pour participer à des compétitions. Elle préférait se concentrer sur le présent et la nouvelle vie qu'elle s'était construite.

— Il est vrai que j'aimais beaucoup voyager.

Une lueur s'alluma dans les yeux d'Alex.

— Quel est votre endroit préféré ?

— Le Brésil est fantastique… J'aime beaucoup Malibu également, mais… Maui.

Au souvenir des énormes rouleaux sur lesquels elle avait surfé, Libby ne put s'empêcher de sourire.

— Oui, c'est Maui.

— Vous avez tout d'une *Gidget* australienne.

Le sourire de Libby s'élargit.

— Beaucoup de gens ignorent que l'héroïne de ce vieux film et des séries TV qui ont suivi est inspirée d'une jeune fille qui a réellement existé.

— La première championne du monde de surf ?

— *Gidget* a été écrit dans les années 50.

Elle avait toujours l'exemplaire qu'elle avait acheté d'occasion, l'été de ses treize ans, se souvint Libby avec attendrissement, avant de poursuivre :

— Le premier championnat du monde féminin n'a eu lieu qu'en 1964, et il a été gagné par une habitante de Sydney. A qui on a remis deux cent cinquante dollars, une planche de surf neuve et plusieurs paquets de cigarettes.

Alex rit et Libby ressentit une joie enfantine. C'était étonnant… Elle avait l'impression qu'ils se connaissaient depuis des années.

— C'est incroyable ce qu'on apprend quand on sort avec sa kiné, n'est-ce pas ? commenta-t-elle avec un sourire malicieux.

Mais soudain, son cœur se serra. Ils ne « sortaient » pas ensemble. Alex était un client. Un client incroyablement beau avec des yeux gris très troublants, certes, mais un client.

Elle prit son menu et tenta en vain de se concentrer sur les plats.

Alex prit le sien également, puis au bout d'un moment il déclara :

— J'ai appelé mon frère.

— Jacob ?

— Je vous ai dit que nous ne nous étions pas vus depuis son départ, il y a plus de vingt ans, n'est-ce pas ?

— Cela a dû être dur. Votre frère aîné qui part sans un mot…

— Il n'a pas eu vraiment le choix.

Tandis qu'Alex faisait signe au serveur, Libby posa les coudes sur la table et appuya son menton sur ses mains. Depuis leur conversation dans le garage, elle s'était juré d'éviter toute nouvelle conversation personnelle. Mais après tout, quelle importance s'il apprenait qu'elle avait eu un accident ? Ne devait-elle pas lui faire confiance ? Il n'y avait aucune raison qu'il se mette tout à coup à douter de ses compétences professionnelles. Ni de ses qualités humaines.

Et de son côté, pourquoi ne pas céder à la curiosité ? Elle mourait d'envie d'en savoir plus au sujet de ce mystérieux clan Wolfe. Un père que personne ne regrettait. Un frère qui s'était évanoui dans la nature du jour au lendemain. Huit frères et sœurs en tout, dont la jumelle d'Alex, la sœur qui avait pris contact avec lui juste avant son accident sur le circuit de Melbourne…

Quand Alex eut commandé une bouteille de cabernet sauvignon, elle déclara :

— Vous deviez avoir beaucoup de choses à vous dire, votre frère et vous.

— C'était un peu difficile de se reparler après tant d'années. Je n'avais que quatorze ans quand Jacob est parti. Mais nous nous sommes toujours bien entendus. Wolfe Manor a été déclaré bâtiment insalubre par le conseil municipal, et Jacob veut réparer les dégâts. Ce qui n'est pas une mince affaire.

« Réparer les dégâts »… Pourquoi avait-elle l'impression que ce n'était pas seulement à la réfection d'un bâtiment délabré que songeait Alex ? se demanda Libby.

— Il pense que la propriété peut être réhabilitée ?

— Capillarité des murs, trous dans la toiture, parc envahi par les mauvaises herbes… plus des déprédations causées par des vandales, ça fait beaucoup. Mais Jacob est devenu architecte. Il a l'intention de remettre la propriété à neuf puis de la vendre.

La mâchoire d'Alex se crispa.

— Très franchement, je ne sais pas comment il peut y remettre les pieds… Ah, voici le vin.

Pendant que le serveur présentait la bouteille à Alex pour qu'il vérifie l'étiquette, Libby réprima un soupir. Ces dernières semaines, elle s'était efforcée de garder ses distances avec Alex, et voilà qu'elle mourait d'envie de tout savoir des fantômes qui hantaient Wolfe Manor… Mais jusqu'où était-il prêt à aller dans les confidences ?

— Quelles autres nouvelles vous a données votre frère ? demanda-t-elle, une fois le vin servi.

— Justement, il m'a dit un truc incroyable. Un autre de mes frères, Lucas, travaille pour Hartington.

— Le grand magasin anglais ?

— Oui. Le lieu prévu pour la célébration du centenaire de la société s'est révélé inutilisable au dernier moment, suite à un dégât des eaux. Si bien que Lucas a proposé Wolfe Manor pour accueillir la soirée de gala. La maison elle-même est restée fermée, bien sûr. Ils ont installé une grande tente sur une des pelouses et un éclairage judicieux de la propriété a fait le reste. Il paraît que la réception a été une grande réussite. Un autre de mes frères, Nathaniel, était présent.

Libby plissa le front, puis ouvrit de grands yeux.

— Nathaniel Wolfe, l'acteur ? Qui a gagné l'oscar il y a quelques mois ?

— Lui-même. Un scandale a accompagné ses débuts sur les planches dans le West End.

— J'ai lu ça dans la presse.

— Il s'est caché un moment sur une île privée en Amérique du Sud.

— Nathaniel possède une île ?

— Non, elle appartient à Sebastian, un autre de mes frères.

De plus en plus impressionnée, Libby arqua les sourcils.

— Les enfants Wolfe ont bien réussi dans la vie, apparemment !

— Contre toute attente…

Une nouvelle ombre passa sur le visage d'Alex et Libby eut un pincement au cœur. Quelles épreuves douloureuses avait-il vécues pendant son enfance ?

S'efforçant visiblement de prendre un ton désinvolte, il poursuivit :

— Pour en revenir à Nathaniel, il est tombé amoureux de la femme qu'il avait kidnappée.

— Non, là vous inventez !

Il leva la main.

— Parole d'honneur. Et c'est à cette soirée de gala à Wolfe Manor qu'ils ont annoncé leur intention de se marier.

— Etes-vous invité au mariage ?

— Je ne suis pas libre ce jour-là.

Alex parlait d'une course, comprit-elle devant le regard déterminé des yeux gris. Mais pas question de demander des précisions. S'il faisait allusion au Grand Prix de Chine, elle se sentirait obligée de lui faire remarquer qu'il ne serait peut-être pas en état d'y participer. Or, elle n'avait aucune envie de gâcher le déjeuner.

Le serveur revint remplir leurs verres et demanda :

— Voulez-vous commander, monsieur ?

— Encore cinq minutes, s'il vous plaît, répondit Alex.

Tandis que le serveur s'éloignait, il eut une moue contrite.

— Je crois qu'il est temps de prendre des décisions.

Libby jeta un coup d'œil à sa montre.

— Mon Dieu ! Comment le temps a-t-il pu passer aussi vite ?

— Votre pause déjeuner va durer plus d'une heure.

Elle eut un haussement d'épaules désinvolte.

— Ce discours peut attendre un peu.

— En effet. Vous vous y mettrez demain. Alors savourons ce qu'il reste de la journée d'aujourd'hui.

Alex leva son verre.

Après une brève hésitation, Libby leva le sien également. Après tout, pour une fois…

6.

Alex et Libby prirent tout leur temps pour savourer leurs plats aux saveurs exotiques, tout en admirant la vue sur la baie. Ils terminèrent le repas par une tarte à l'ananas arrosée d'un vin spécialement commandé pour le dessert.

Tandis que le serveur débarrassait les assiettes, Alex prit la bouteille pour resservir Libby.

— Non, merci ! J'ai déjà beaucoup trop bu.

— Vous n'avez tout de même pas l'intention de retourner travailler ?

— Mais il n'est que…

Libby consulta sa montre et s'exclama :

— 16 heures !

Alex sourit. Lui non plus, il ne savait pas que le temps pouvait passer aussi vite.

Lorsqu'elle ne travaillait pas, Libby était une autre femme. Plus du tout réservée. Ils avaient parlé des pays où ils avaient voyagé. Des différents aspects de leurs sports respectifs. Il avait appris qu'elle avait grandi sur les plages de Sydney avec des parents affectueux, prêts à l'aider à réaliser ses rêves. Pour sa part, il ne parvenait pas à imaginer ce que pouvait être l'existence quand on avait eu une enfance heureuse…

Pour la première fois de sa vie, une question s'imposa à Alex. Quel genre de père deviendrait-il ? Serait-il surprotecteur, en réaction à ce qu'il avait vécu lorsqu'il était enfant ? Ou bien serait-il obligé de lutter contre l'influence pernicieuse du fantôme de William Wolfe, comme son frère autrefois ?

Lors de leur conversation téléphonique, Jacob s'était

confié à lui. Il lui avait expliqué qu'après le non-lieu dont il avait bénéficié suite au décès accidentel de leur père, il était devenu de plus en plus nerveux. Au point de s'en prendre à Annabelle, le dernier jour qu'il avait passé à Wolfe Manor, vingt ans plus tôt. S'il était parti, c'était parce qu'il avait eu peur de devenir aussi ignoble que leur père. Comment lui donner tort ? S'il avait été à sa place, il aurait pris la fuite lui aussi. Ça valait mieux que de risquer de décevoir ses frères et sa sœur, qui l'admiraient tant…

Alex crispa la mâchoire. Ils gardaient tous des cicatrices de leur enfance à Wolfe Manor. Cependant, la plus meurtrie était sans doute Annabelle. Lors de cette nuit terrible, Jacob avait volé à son secours, mais c'était lui-même, Alex, qui sans le vouloir l'avait envoyée au massacre…

Ces souvenirs très anciens s'étaient ravivés ces derniers temps. Et il était de plus en plus difficile de les refouler… Sans doute à cause de son inactivité forcée.

Alex reposa la bouteille et demanda d'un ton enjoué :

— Si vous me donniez une leçon ?

— Une leçon ?

— De surf.

Il posa la main sur son épaule droite.

— C'est peut-être ce qu'il me faut.

— Il y a des tas de professionnels dont c'est le métier d'enseigner le surf.

— A vrai dire, j'ai surtout envie de m'amuser un peu.

— Il vaut mieux nous en tenir à nos séances habituelles.

— Après vous avoir entendu parler de surf, j'ai vraiment l'impression de rater quelque chose, insista Alex.

Et c'était avec elle qu'il avait envie d'apprendre. C'était elle qu'il avait envie de voir en maillot de bain. Ou sans, d'ailleurs… Ces pantalons blancs qu'elle portait pour les séances n'étaient pas particulièrement flatteurs. Sans doute tenait-elle à rester très professionnelle jusque dans sa tenue. Pourtant, mettre un short de temps en temps n'aurait terni en rien sa réputation… Mais inutile de se faire des illusions. Pendant les heures de travail, il ne fallait pas s'attendre au moindre changement de look. D'où la nécessité de suggérer une sortie plus propice à une tenue moins… sage.

Oui, il avait envie de faire plus ample connaissance avec Libby. Et après ce déjeuner, il y avait des chances pour que ce soit réciproque. Par ailleurs, elle s'était montrée tellement plus chaleureuse et bienveillante que lors des séances qu'il se sentait un peu rassuré. Le moment venu, elle accepterait sûrement de lui donner le feu vert pour le Grand Prix de Chine.

En quittant le restaurant, ils passèrent devant une affiche publicitaire sur laquelle figurait une perle dans son huître.

— Si vous étiez considérée comme une sirène, je suppose que vous aimez les perles, déclara Alex en posant la main au creux des reins de Libby.

Elle s'écarta aussitôt.

— Non, les bijoux ce n'est pas trop mon truc.

Il la considéra avec incrédulité.

— Je croyais que toutes les femmes aimaient les diamants, au minimum !

— Pas moi.

Pourquoi avait-elle un sourire aussi crispé, tout à coup ? se demanda Alex, de plus en plus perplexe. Pendant le repas, elle était pourtant très détendue…

— Je trouve les perles très belles, bien sûr, poursuivit-elle. Les pierres précieuses aussi. Mais je n'en possède pas. Je n'en éprouve pas l'envie.

Dans la limousine, Alex jeta un coup d'œil aux mains de Libby pendant qu'elle consultait son portable pour voir si elle avait des messages. Depuis deux semaines, il avait ses doigts sous les yeux pratiquement tous les jours. Il savait qu'elle n'était pas fiancée. Les recherches effectuées par Eli lors de la sélection l'avaient révélé. Mais peut-être avait-elle un petit ami.

A cette pensée, il fut plus contrarié qu'il ne l'aurait voulu. Pourquoi n'en aurait-elle pas un ? Elle était aussi séduisante qu'intelligente. Et cela expliquerait son attitude distante. Qu'elle ait accepté son invitation à déjeuner ne signifiait rien. Un client important qui arrive sans prévenir… Il ne lui avait pas vraiment laissé le choix.

Alex réprima un juron. Lui qui se voyait déjà… Mais la journée n'était pas terminée. Il avait encore le temps d'en apprendre davantage.

— Il est presque 16 h 30, déclara-t-il quand elle rangea son portable. Trop tard pour retourner au bureau. Et après avoir bu du vin, vous ne pouvez pas conduire. Je vous raccompagne chez vous.

Après un instant d'hésitation, Libby hocha la tête et donna son adresse au chauffeur. Elle habitait à quelques minutes du restaurant.

Dès que la limousine se gara, Alex bondit dehors pour l'aider à descendre. Avec un sourire contraint, elle cala la bandoulière de son sac sur son épaule.

— Ce déjeuner était une surprise agréable, merci beaucoup.

— Je vous accompagne jusqu'à votre porte.

— Ce n'est pas la peine.

— Vous allez heurter mon sens de la galanterie.

Après une nouvelle hésitation, Libby accepta. Mais lorsqu'ils atteignirent l'entrée de son immeuble, elle se tourna vers Alex d'un air déterminé.

— Nous sommes arrivés…

Elle jeta un coup d'œil vers la limousine.

— … et votre chauffeur vous attend.

— C'est pour ça qu'il est payé. Conduire et attendre.

Elle soupira.

— Je sais ce que vous pensez. Nous venons de passer un moment agréable ensemble et vous aimeriez que je vous invite chez moi. Ce n'est pas une bonne idée.

— Je ne suis pas d'accord.

— Aucun de nous deux n'a intérêt à compliquer la situation.

— Qui a dit qu'elle devait être compliquée ?

Libby s'humecta les lèvres.

— Nous devons préserver notre relation professionnelle.

— Ça ne me paraît pas contradictoire, répliqua Alex en se penchant vers elle.

Il n'avait pas l'intention de l'embrasser mais sa bouche

se posa sur la sienne malgré tout. Doucement… Juste un baiser furtif, se dit-il aussitôt. Mais ses bras se refermèrent sur elle, comme mus par une volonté propre. Il la serra contre lui et sentit les pointes de ses seins se durcir contre son torse. Réprimant un gémissement, il effleura ses lèvres du bout de la langue. Quand elle s'alanguit dans ses bras en lui offrant sa bouche, il oublia qu'ils étaient dans la rue, en plein jour. Il oublia tout ce qui n'était pas le plaisir inouï de tenir Libby dans ses bras et le désir irrépressible qui le submergeait.

Mais soudain, il sentit les mains de la jeune femme se glisser entre eux et le repousser fermement. Le souffle court, elle s'appuya d'une main contre la porte de l'immeuble en évitant son regard.

— Ne recommencez plus jamais.

— Parce que vous êtes ma kiné ?

Pinçant les lèvres, Libby hocha la tête.

— Exactement. Et aussi parce que… je n'ai pas envie d'une relation en ce moment.

Alex eut un sourire très doux.

— C'est dommage.

Une lueur s'alluma dans les yeux ambre de la jeune femme. Allait-elle changer d'avis ? se demanda-t-il, plein d'espoir. Allait-elle l'inviter chez elle ?

Mais elle composa un code et ouvrit la porte, avant de disparaître à l'intérieur.

En regagnant la limousine, Alex se remémora avec délectation chaque seconde de ce baiser. Quel chemin parcouru en quelques heures… Ce matin, elle lui plaisait déjà, certes. Cependant, il avait juste envie de découvrir quelle femme se cachait derrière la professionnelle irréprochable. Et il voulait s'assurer qu'elle était toujours prête à lui donner le feu vert pour le Grand Prix de Chine. Mais à présent, comme il venait de le suggérer, il avait envie de nouer des liens plus étroits avec elle. Jamais il n'avait apprécié à ce point la compagnie d'une femme. Il avait même eu un pincement au cœur en l'imaginant avec un autre homme ! Attention, danger…

Alex monta dans la limousine. C'était la première fois qu'une femme le repoussait depuis l'école primaire. Ce qui n'aurait rien eu de dramatique si cela n'avait pas été *cette femme-là.* La vérité, ce n'était pas que Libby lui plaisait. Elle l'obsédait. Elle occupait de plus en plus de place dans son esprit. Or, il avait déjà assez de problèmes en tête.

Il fallait éviter les complications inutiles. Alors si Libby ne voulait pas de lui, tant mieux.

7.

Le lendemain matin, Libby pénétra dans la luxueuse villa de Rose Bay en s'efforçant d'ignorer les battements frénétiques de son cœur. Aujourd'hui, elle n'avait qu'une chose en tête. Le travail. Du moins, c'était ce qu'il fallait faire croire à Alex.

Hier après-midi, il l'avait prise au dépourvu. Bien sûr, elle avait compris qu'il espérait être invité à monter chez elle. Mais elle ne s'attendait pas du tout à ce qu'il l'embrasse. Et quel baiser ! Elle avait bien failli changer d'avis et l'entraîner dans l'immeuble. Mais ses peurs enfouies étaient remontées à la surface.

Malgré leur bonne entente sexuelle, après son accident, Scott ne l'avait plus jamais touchée. Elle avait été cruellement déçue qu'il la laisse tomber au moment où elle avait le plus besoin de lui. Sans compter que, depuis, une question la hantait : existait-il des hommes capables de la voir avec d'autres yeux que Scott ?

Libby pénétra dans la salle de sport et posa son sac à la même place que d'habitude. Malgré ses efforts pour rester insensible, elle était incapable d'ignorer les réactions que déclenchait la présence d'Alex dans tout son corps. Palpitations, troubles respiratoires, jambes en coton… Rien de très nouveau. Réactions qu'elle tentait en vain de réprimer chaque matin depuis deux semaines. Sauf qu'après ce baiser…

Allait-il essayer de nouveau de l'embrasser ?

— J'ai déjà effectué des exercices, ce matin.

A en juger par la pointe d'agressivité dans sa voix, il était de mauvaise humeur, songea-t-elle en prenant position devant le miroir.

— Voyons où en est l'amplitude de vos mouvements.

Après un instant d'hésitation, Alex déboutonna sa chemise.

— Tendez les bras devant vous.

Il la rejoignit devant le miroir d'un pas traînant, puis leva les bras.

— Plus lentement.

Elle jeta un coup d'œil furtif à son visage. Pas rasé, il avait la mâchoire crispée, le regard fuyant et la mine sombre. S'imaginait-il que son manque d'enthousiasme flagrant l'inciterait à écourter la séance ? Il allait être déçu. Elle était là pour le faire travailler et rien ne pouvait la détourner de sa mission.

En tout cas, il avait visiblement décidé lui aussi d'oublier ce baiser. Parfait. Aucun risque qu'il recommence. Ni qu'il découvre qu'elle n'était pas tout à fait conforme à l'image qu'il avait d'elle…

Il n'avait pas levé les bras aussi haut que la fois précédente, constata-t-elle alors qu'il les baissait déjà.

Elle se plaça devant lui.

— Recommencez, s'il vous plaît.

Crispant de plus belle la mâchoire, il releva les bras à la même hauteur et les laissa retomber aussitôt avant de ramasser sa chemise.

— Ça suffit pour aujourd'hui. J'en ai assez.

Quelque chose clochait, comprit Libby. Juste avant de baisser les bras, il avait grimacé.

— Vous avez mal à l'épaule ?

Elle n'attendit pas la réponse avant d'ajouter :

— Décrivez-moi la douleur.

Il enfila la manche droite de sa chemise.

— Ce n'est rien.

— Vous m'avez dit que vous aviez fait des exercices avant mon arrivée.

Libby prit un flacon d'huile au noyau d'abricot dans son sac et se dirigea vers la table de massage.

— Vous voulez bien vous allonger ?

Sans se retourner, elle ajouta :

— Et enlevez de nouveau votre chemise, s'il vous plaît.

— Je ne veux pas de massage.

Elle réprima un soupir. Mieux valait ignorer ce ton exaspéré…

— Apparemment, vous avez imposé des efforts excessifs à votre épaule. Je vais faire disparaître les nœuds qui se sont formés et qui gênent vos mouvements.

Evitant ostensiblement de la regarder, il poussa un profond soupir.

— Vous voulez reprendre la course le plus tôt possible, oui ou non ?

Il haussa les épaules, enleva sa chemise et la rejoignit.

S'efforçant d'ignorer le trouble qui l'envahissait chaque fois qu'il était près d'elle — surtout quand il était à moitié nu —, elle déboucha le flacon d'huile.

— Allongez-vous.

Il s'exécuta.

— Maintenant, détendez-vous et vous allez être débarrassé de ces contractures en quelques minutes.

Elle commença en douceur par des effleurages avant de poursuivre par des pressions et des pétrissages de plus en plus vigoureux. Au bout de cinq minutes, lorsqu'elle insista sur un nœud particulièrement tenace, il tressaillit et releva la tête.

— Eh ! Vous y allez un peu trop fort, docteur.

— Ne bougez pas. Nous allons régler ce problème, puis vous laisserez tomber les exercices pendant quelques jours. Ensuite, il faudra ralentir le rythme des séances.

— Je n'ai pas le temps.

Excédée, Libby arrêta le massage.

— Si vous voulez, je peux vous indiquer un autre kinésithérapeute.

Alex reposa la tête sur la table.

— Faites ce que vous avez à faire.

Libby reprit un peu d'huile et poursuivit son massage avec sa dextérité coutumière.

*
* *

Alex resta docilement allongé en serrant les dents, tandis que les mains de Libby malaxaient son dos. Lorsqu'elle insista sur un autre point sensible, il se contenta de recroqueviller les doigts de pieds en réprimant un grognement. Ce n'était pas la première fois qu'on le massait et il fallait reconnaître que la technique employée par Libby semblait particulièrement efficace. Mais il n'y avait pas que ça… Le contact de ses mains sur sa peau et leurs manœuvres expertes déclenchaient en lui des réactions en totale contradiction avec les résolutions qu'il avait prises à son sujet. Alors que de son côté, il était manifeste qu'elle ne pensait qu'à son épaule. Pour elle, ce massage était purement professionnel… Et s'il durait encore longtemps, il allait devenir fou !

— Comment vous sentez-vous ?

Les yeux fermés, il soupira. Honnêtement ?

— Merveilleusement bien.

Après un dernier effleurage, elle déclara :

— Surtout, reposez-vous bien pendant tout le week-end.

Il ouvrit les yeux. C'était déjà fini ?

— Vous ne pouvez pas partir tout de suite.

Dans l'état où il était, cela aurait été un crime ! Mais s'il voulait la retenir, mieux valait s'adresser à la kinésithérapeute qu'à la femme. Quitte à tricher un peu…

— J'ai encore un tiraillement au niveau de l'omoplate.

Libby inspecta la zone, y versa quelques gouttes d'huile et reprit ses manœuvres magiques. Alex s'abandonna avec délice aux sensations qui l'assaillaient de toutes parts.

— Ça va mieux ? demanda-t-elle au bout d'un moment.

— Beaucoup mieux.

Il sentit ses doigts s'attarder encore quelques secondes sur sa peau avant de s'écarter. Aurait-elle éprouvé ne serait-ce qu'un tout petit peu de plaisir à le masser ? Après ce baiser, il ne pouvait plus douter qu'elle était attirée par lui. Cependant, il avait pris des résolutions et il valait mieux s'y tenir. Il était à peu près certain qu'elle ne s'opposerait pas à son retour sur les pistes avant le délai prescrit par Morrissey. Il était donc inutile de jouer de son charme pour l'influencer sur ce point. Cela risquerait même de se révéler contre-productif. Oui, mieux valait s'en tenir à ses résolutions.

Libby s'éloigna pour se laver les mains.

— Toutes les tensions sont éliminées, à présent.

Ce n'était pas tout à fait vrai, songea-t-il avec dérision en se redressant et en s'asseyant au bord de la table. La bosse qui gonflait son short prouvait le contraire… Afin de masquer l'éveil de sa virilité, il prit une serviette sur le chariot situé à proximité de la table de massage et la posa sur ses cuisses.

— Buvez beaucoup d'eau, ajouta Libby avec un sourire professionnel. Nous nous reverrons lundi.

Tandis qu'elle se dirigeait vers son sac, Alex descendit de la table sans lâcher sa serviette. Il avait pris la bonne décision. Pas question de tenter de la retenir. Après son départ, il appellerait quelques amis et organiserait un week-end à Paris ou bien à Milan. N'importe où loin de Sydney. Il fallait à tout prix changer d'air et évacuer cette tension.

Alors, pourquoi ne pouvait-il se résoudre à la voir partir ? Il fit deux pas vers Libby. S'immobilisa.

— A propos d'hier…

— C'est du passé. Il n'y a rien à dire.

Elle rangea le flacon dans son sac et mit ce dernier sur son épaule. Alex se frotta distraitement le torse avec la serviette. Elle avait raison.

— Vous avez raison.

— Surtout n'oubliez pas. Repos complet jusqu'à lundi.

Alex recommença à avancer.

— Juste une chose, encore.

— Quoi donc ?

— Ce qui s'est passé entre nous…

Il jeta la serviette par terre.

— Ce n'est pas du passé.

Libby le regarda d'un air effaré.

— Alex, vous venez de me donner raison ! Il n'y a plus rien à dire là-dessus.

— En effet. J'en ai assez de parler.

De son bras valide, Alex attira Libby contre lui. Des étincelles jaillirent dans les yeux ambre. Mais alors qu'il s'attendait à être repoussé avec brusquerie, elle ferma brièvement les paupières. Quand elle les rouvrit, son regard brillait d'un éclat tout différent.

Pas de doute, cette situation ne pouvait plus durer. Il s'empara de sa bouche avec fougue.

Au moment où les lèvres d'Alex se posèrent sur les siennes, Libby fut déchirée entre deux réactions contradictoires. Alors qu'elle s'abandonnait déjà à ce baiser, une toute petite voix lui cria qu'il ne fallait surtout pas céder à la tentation. Que rien n'était possible entre Alex et elle. Mais le baiser s'approfondit et la petite voix s'éteignit. La langue d'Alex mêlée à la sienne, ses bras autour d'elle, son corps contre le sien… Comment avait-elle trouvé la force de s'arracher à son étreinte, hier ? Tant pis si elle flirtait avec le danger. Plus rien d'autre ne comptait que la sensation enivrante d'être née pour embrasser cet homme.

Le baiser d'Alex se fit de plus en plus ardent. Ses mains glissèrent le long de son dos et se refermèrent sur ses fesses. Lorsqu'il plaqua son bassin contre le sien, elle crut défaillir. Une main poursuivit sa descente le long de sa cuisse, toujours plus bas…

Prise de panique, elle s'écarta vivement.

Oh, mon Dieu ! Elle s'était pourtant juré que ça ne se reproduirait plus jamais ! Elle ne voulait pas qu'il sache…

— Il vaut mieux en rester là, déclara-t-elle d'une voix mal assurée.

— Au nom de quoi ?

Alex la prit de nouveau dans ses bras et l'embrassa avec une ardeur redoublée. Ce baiser avide déclencha en elle un incendie d'une violence inouïe. Son corps s'enflamma tout entier, en proie à un désir irrépressible qui lui donna le vertige. Mais la petite voix n'avait pas renoncé à la ramener à la raison. Non, c'était impossible… Même si elle en avait envie — et jamais elle n'avait eu autant envie d'un homme ! — elle ne pouvait pas se laisser aller.

Elle s'arracha de nouveau aux lèvres d'Alex, mais elle n'eut pas la force de s'écarter de lui. A bout de souffle, elle était brisée par l'émotion.

— Vous… vous ne comprenez pas.

— Non, en effet, Libby, je ne comprends pas.

Il scruta son visage.

— Quelqu'un t'a fait souffrir, c'est ça ?

Elle réprima un gémissement. Comme il était tentant de tout lui raconter ! De dire : « Oui, c'est ça. Quelqu'un m'a fait souffrir. Horriblement. »

Elle avait une vie fantastique, un fiancé qu'elle croyait fantastique. Et puis, un jour, le monde s'était écroulé. Elle n'avait pas connu un seul homme depuis. Quand Scott l'avait rejetée — quand son visage fermé lui avait confirmé que l'idée de la toucher le révulsait —, il lui avait infligé une blessure qui ne s'était jamais refermée. A côté de cette plaie béante, la mutilation de sa jambe pouvait passer pour une égratignure.

— Tu as quelqu'un d'autre ?

Le cœur de Libby se serra. Si seulement !

— Le problème, c'est tout simplement que je ne suis pas là pour ça.

— La vie réserve parfois des surprises.

Elle laissa échapper un petit rire désabusé.

— Merci pour le scoop !

Alex la considéra un instant sans rien dire, puis il poussa un profond soupir et s'écarta d'elle.

— D'accord, vas-y. Une pause de deux jours sera sans doute bénéfique à chacun de nous.

— A lundi, donc. Mais à une condition.

Libby leva vers Alex un regard implorant.

— Tu n'essaieras plus jamais de me toucher.

*
* *

Tandis que Libby quittait la salle de sport, Alex dut faire appel à toute sa volonté pour ne pas lui courir après et la supplier de rester. Que se passait-il ? Elle avait envie de lui autant qu'il avait envie d'elle. C'était une évidence. Alors qu'est-ce qui l'empêchait de se laisser aller ?

Il s'efforça de se mettre à sa place. Visiblement, son métier était tout pour elle. Comme la course pour lui. Et elle ne voulait pas compromettre sa réputation. En nouant une relation intime avec un client prêt à tout pour reprendre la compétition plus tôt que prévu, elle risquait de se discréditer.

Peut-être. Mais son attitude fuyante avait d'autres causes. Plus profondes. Il le sentait…

Au comble de la frustration, Alex se mit à arpenter la salle de sport à grands pas, donnant au passage un coup de pied dans un tapis de jogging. Puis un deuxième coup de pied. La dernière fois qu'il avait été aussi à cran, c'était à Wolfe Manor quand il était encore gamin ! Mais se fracturer le pied ne l'avancerait à rien. Il ferait mieux d'essayer d'en apprendre davantage.

Il prit son portable sur une table et composa un numéro.

— Que m'as-tu caché au sujet de Libby Henderson ? demanda-t-il sans préambule quand Eli répondit.

— Que se passe-t-il ? Elle n'est pas efficace ?

— Eli, je te donne trois secondes. Que m'as-tu caché ?

Eli poussa un soupir avant de répondre. Au fur et à mesure qu'il parlait, Alex s'affaissait petit à petit. Il se retrouva bientôt assis par terre, suffoqué. Il était loin de se douter… Mais à présent, tout s'expliquait. La réserve de Libby. Son attitude ambivalente. Sa réaction épidermique quand il avait caressé sa cuisse… Comment expliquait-on une chose pareille à quelqu'un ?

— Alex ? Tu es toujours là ?

Il releva la tête, le cœur serré. Il se sentait vidé. Comme s'il avait passé une journée entière à s'entraîner sur le circuit le plus traître…

— Oui, je suis là.

— J'arrive.

— Non. Ça va aller.

— Ça ne devrait pas faire de différence…

— Tu te trompes, Eli. Ça fait une grosse différence. Pourquoi ne m'as-tu pas prévenu ?

— Parce que ça ne te regardait pas.

Alex soupira. Eli avait raison. Quand il avait fait appel aux services de Libby, ce genre de détail ne le regardait pas. Aujourd'hui…

Il se leva.

Aujourd'hui, ce détail changeait tout.

8.

Ce soir-là, en rentrant chez elle, Libby gagna directement la salle de bains, remplit la baignoire, se déshabilla et se plongea dans un bain moussant délicieusement chaud. Un coussin gonflable sous la nuque, elle ferma les yeux en soupirant. Quelle journée ! Non seulement elle était épuisée, mais elle n'avait jamais eu l'esprit aussi confus. Que faire à présent ?

Après les résolutions qu'elle avait prises, comment avait-elle pu s'abandonner aussi facilement au baiser d'Alex ? Mais ce n'était pas le pire. Quand elle était partie, elle n'avait pas pu s'empêcher d'espérer qu'il la retiendrait…

Depuis que Scott l'avait laissée tomber après son accident, elle n'avait fréquenté qu'un seul homme. Leo Tamms, étudiant dans la même université qu'elle. Ils étaient sortis trois fois ensemble et ils s'entendaient bien. Le dernier soir, ils s'étaient même embrassés. A l'époque, elle ne maîtrisait pas encore parfaitement sa démarche, et un jour à la cafétéria, il lui avait demandé pourquoi elle boitait légèrement. Rassemblant tout son courage, elle lui avait parlé de son accident. Il l'avait écoutée avec une attention bienveillante, mais il ne l'avait plus jamais invitée à sortir. A partir de ce jour-là, il l'avait même soigneusement évitée.

Elle avait été presque aussi blessée par son attitude que par le rejet de Scott. La réponse à la question qui la hantait était devenue évidente. Beaucoup d'hommes étaient incapables d'apprécier une femme pour sa personnalité, si son physique n'était pas à la hauteur de leurs fantasmes.

Alex Wolfe faisait-il partie de ces hommes ?

Vingt minutes plus tard, un peu détendue, elle sortit de la baignoire, se sécha et enfila un déshabillé de soie tombant jusqu'aux chevilles. Dans la cuisine, elle ouvrit le réfrigérateur et hésita devant un reste de poulet. Non, elle n'avait pas faim. Depuis la séance de ce matin chez Alex, elle était incapable d'avaler quoi que ce soit. Elle se servit un verre de lait et gagna le salon.

Elle pouvait travailler sur son discours… regarder un film, lire. Ou bien passer la nuit à souhaiter que la vie ne soit pas aussi compliquée. Avant de rencontrer Alex, elle était sereine. Satisfaite de la nouvelle vie qu'elle s'était construite. Aujourd'hui, elle était en proie au doute. Par moments, elle parvenait presque à croire qu'Alex s'intéressait vraiment à elle. Mais sa raison lui soufflait aussitôt qu'il était beaucoup plus intéressé par ce qu'il attendait d'elle.

Un certificat lui permettant de participer au Grand Prix de Chine.

La sonnerie de l'Interphone la fit tressaillir. Elle prit une profonde inspiration. Du calme. Ce n'était pas Alex, bien sûr. Comment cette idée avait-elle pu lui traverser l'esprit ? Elle gagna l'entrée, appuya sur le bouton de l'Interphone et demanda qui avait sonné. Une voix profonde et terriblement familière lui répondit.

— J'espérais bien te trouver chez toi.

Elle porta la main à son cœur et recula d'un pas. Puis elle s'efforça de reprendre ses esprits.

— Que fais-tu ici ?

— J'ai quelque chose pour toi.

Elle plissa le front. Quoi donc ? Non, elle n'avait aucune envie de le savoir ! Il fallait qu'il s'en aille. Tout de suite.

— Tu me le donneras lundi.

La voix d'Alex se fit implorante.

— S'il te plaît, Libby, laisse-moi monter.

Le cœur battant à tout rompre, elle déglutit péniblement. Il fallait lui dire de remonter dans sa limousine et de rentrer dans sa somptueuse villa. De la laisser tranquille. Elle était déjà assez déstabilisée comme ça…

— Libby, je veux te présenter mes excuses pour ce matin.

— Va-t'en.

— Cinq minutes et ensuite je partirai. Je te le promets.

Elle ferma les yeux, la gorge nouée. Elle n'avait aucune envie de le voir. Et en même temps, elle en mourait d'envie... Par ailleurs, il était manifestement déterminé. Nul doute qu'il ne s'en irait pas tant qu'il ne lui aurait pas présenté ses excuses face à face. Il n'était pas champion du monde pour rien. Il avait une ténacité hors du commun...

Libby déclencha l'ouverture de la porte de l'immeuble, puis alla dans sa chambre enfiler un peignoir par-dessus son déshabillé. Lorsqu'elle regagna l'entrée, elle entendit frapper à la porte. Le cœur battant à tout rompre, elle saisit la poignée.

Devant la porte de l'appartement, Alex se balançait d'un pied sur l'autre. Jamais il ne s'était senti aussi nerveux... Depuis qu'Eli lui avait révélé le secret de Libby, il ne pensait plus qu'à ça.

Déglutissant péniblement, il examina son cadeau. Un moyen de briser la glace. Un sujet de conversation anodin, comme entrée en matière. Et avec un peu de chance, la solution pour sortir de l'impasse.

Pourvu que ça lui plaise !

Libby ouvrit la porte et son cœur fit un bond dans sa poitrine. Mon Dieu, à chaque rencontre, elle trouvait cet homme un peu plus attirant...

Il lui tendit son cadeau.

— C'est pour toi.

— Un bambou ?

— C'est un cadeau de réconciliation.

En prenant le pot, Libby remarqua des petites fleurs regroupées en épi sur l'une des tiges.

— Certains bambous ne fleurissent que tous les vingt,

quarante ou même quatre-vingts ans, commenta Alex. La floraison du bambou reste une énigme pour les botanistes.

— Vraiment ? Je l'ignorais.

— C'est une plante chargée de symboles dans les pays d'Asie.

Libby ne put s'empêcher de sourire.

— En Malaisie, par exemple.

— Oui. On raconte là-bas une légende selon laquelle un homme qui s'était endormi sous un bambou géant a fait le rêve d'une femme très belle. A son réveil, il a brisé la tige du bambou et découvert la femme à l'intérieur.

Libby sentit son cœur s'affoler. Devait-elle comprendre qu'il les comparait au couple de la légende ? Elle s'éclaircit la voix.

— C'est une belle histoire.

— A Sepang, un vieil homme m'a expliqué que pendant une tempête, le bambou s'incline, mais qu'il se redresse dès qu'elle est terminée. Il ne perd jamais ses racines… ni son intégrité.

Libby fut envahie par une vive émotion. Pas de doute, cette fois, il parlait d'elle. Il suggérait que si elle lui cédait, cela n'entacherait en rien sa réputation de kinésithérapeute. Il fallait reconnaître qu'il s'était donné beaucoup de mal pour trouver de quoi étayer son raisonnement. Un bambou en fleur, une légende malaise… C'était très touchant, bien sûr, mais il fallait malgré tout rester très prudente.

— Alex, pourquoi es-tu venu ?

— Tu le sais bien.

Alors qu'elle tenait toujours le bambou, il posa une main sur l'une des siennes. S'efforçant d'ignorer le frisson qui la parcourait, elle secoua la tête. Elle mourait d'envie de croire que tout était possible entre eux. Elle avait envie de prendre le risque de voir où cette attirance mutuelle les conduirait. Comme n'importe quelle autre femme l'aurait fait à sa place. Sauf qu'elle ne pouvait pas. Elle avait bien trop peur.

— Il ne faut pas. Il ne peut rien se passer entre nous.

Alex lui caressa la joue.

— Trop tard.

Quand il effleura son front du bout des lèvres, elle fut envahie par une chaleur délicieuse.

— Dis-moi que tu ne m'en veux pas.

Quand ses lèvres se posèrent sur sa tempe, elle réprima un gémissement.

— C'est à moi que j'en veux.

— Laisse-toi aller.

Elle s'abandonna à son baiser, à la fois tendre et sensuel. Comment résister à l'élan irrésistible qui la poussait dans les bras de cet homme ? Mais pouvait-elle lui faire confiance ? Il semblait sincère, mais…

Elle s'arracha aux lèvres d'Alex.

— Je… Je ne sais pas où j'en suis. Tu sèmes la confusion dans mon esprit.

— J'essaie pourtant d'être clair.

Il l'attira contre lui et s'empara de nouveau de sa bouche. Non… Il fallait qu'elle lui explique… Il fallait qu'il sache… En contradiction avec ses pensées, les bras de Libby se nouèrent sur la nuque d'Alex. Il laissa alors échapper un gémissement de satisfaction, tandis qu'elle s'alanguissait contre lui, s'abandonnant sans réserve à son baiser. Mais quand elle sentit sa main glisser sur ses hanches, puis descendre le long de sa cuisse, elle retrouva quelques bribes de raison. Si elle voulait aller jusqu'au bout… Si elle voulait faire l'amour avec lui, il fallait absolument lui dire.

Rassemblant tout son courage, elle mit fin à leur baiser. Il appuya son front contre le sien en souriant.

— Tu ne vas me faire croire que tu ne sais toujours pas où tu en es.

— Il faut que je te dise quelque chose.

Il lui mordilla doucement la lèvre inférieure et l'attira de nouveau contre lui.

— Tu n'es pas obligée.

— Si, c'est très important.

Elle s'écarta de lui. Mais alors qu'elle resserrait les pans de son peignoir, il plongea son regard dans le sien.

— Libby… je sais.

— Tu… sais ?

Il hocha la tête.

— Tu parles de mon accident ? De ma jambe ?

— Oui.

— Tu sais depuis le début ?

— Non, depuis ce matin. Après ton départ, je me suis dit qu'il devait y avoir une autre raison à ton attitude que celle que tu m'avais donnée. J'ai fini par découvrir que nous avions plus de points communs que tu ne le penses.

Abasourdie, Libby avait du mal à rassembler ses esprits.

— Ne me dis pas que tu portes une prothèse, parce que c'est un détail qui n'aurait pas pu m'échapper !

Alex eut un sourire attendri.

— Je sais ce que c'est de vivre avec les répercussions de son passé. D'avoir par moments envie de tout effacer.

Il embrassa de nouveau Libby, avec une douceur infinie. Lorsqu'il la souleva de terre, elle se laissa faire. Un réflexe professionnel lui fit malgré tout murmurer :

— Tu risques de te faire mal à l'épaule en me portant.

— Ça m'est égal.

Il traversa le salon et repéra un lit derrière une porte entrouverte. En franchissant le seuil de la pièce, il voulut actionner l'interrupteur avec son coude, mais Libby se raidit.

— Pouvons-nous laisser la lumière éteinte ?

Il lut l'appréhension dans ses yeux et son cœur se serra. C'était incroyable… En deux semaines, cette femme avait pris une place essentielle dans sa vie. Elle représentait désormais bien plus qu'un espoir de reprendre la compétition plus tôt que prévu. Ce qu'il avait appris à son sujet ce matin ne changeait rien à l'attirance qu'il éprouvait pour elle. Mais le lui dire n'aurait servi à rien. Il fallait le lui prouver.

— Comme tu veux, répondit-il d'une voix douce.

Il traversa la pièce et la reposa sur ses pieds à proximité du lit. Après avoir rabattu le couvre-lit, il parsema son visage de baisers légers comme des papillons, puis il dénoua la ceinture de son peignoir et fit glisser les manches sur ses bras. Tout en l'embrassant dans le cou, il posa les mains sur ses seins. Electrisé par le gémissement qui échappa à la jeune femme, il caressa du bout des pouces les deux pointes durcies à travers le fin tissu qui les couvrait.

Tandis qu'elle enfonçait les doigts dans ses cheveux, il traça un sillon de baisers le long de sa clavicule et tira sur le ruban qui fronçait son déshabillé sous la poitrine. Tout en faisant glisser les fines bretelles sur ses épaules, il releva la tête pour plonger son regard dans le sien. Au moment où le déshabillé tombait à ses pieds, il vit ses traits se crisper. Elle baissa les yeux, et de nouveau il sentit son cœur se serrer. Elle avait peur de sa réaction…

L'espace d'un instant, il resta indécis. Comment devait-il se comporter ? Libby était belle. Si belle… Il voulait qu'elle en prenne conscience et qu'elle n'ait plus jamais aucun doute à ce sujet. Mais comment faire pour éviter de commettre une maladresse sans le vouloir ? Il avait eu le même genre de craintes vis-à-vis d'Annabelle, et la seule solution qu'il avait trouvée, c'était de la voir le moins souvent possible… Pas question d'être aussi lâche avec Libby. Mais comment la rassurer ? Soudain, une évidence s'imposa à lui. Il suffisait de rester naturel. Sincère. Chacune de ses caresses, chacun de ses baisers lui ferait comprendre à quel point il était heureux d'être là avec elle.

Refermant les mains sur ses épaules, il murmura à son oreille :

— J'ai beaucoup de chance.

Il la sentit frissonner. Elle plongea son regard dans le sien, et un sourire finit par se dessiner sur ses lèvres.

— Il faut que tu saches… ça fait longtemps…

Il frotta tendrement sa joue contre la sienne.

— Alors il faut rattraper le temps perdu.

La soulevant de terre, il l'allongea sur le lit.

Libby était au comble de la nervosité. Elle était à la fois rongée de désir et terrorisée. Une part d'elle-même avait envie de faire confiance à Alex. C'était un homme expérimenté qui connaissait la vie bien mieux que beaucoup d'autres, et qui n'était pas rebuté par le fait qu'elle porte une prothèse, se répétait-elle. Mais une autre part d'elle-même était redevenue la jeune fille meurtrie et mal dans sa peau qu'elle était restée longtemps après son accident. Elle se sentait alors anormale. Disgracieuse.

Pendant que ces pensées tourbillonnaient dans l'esprit de Libby, Alex se déshabilla avec le plus grand naturel, s'allongea près d'elle et la prit dans ses bras. Quand il captura sa bouche, elle sentit ses craintes s'estomper peu à peu. Ses bras se nouèrent sur sa nuque et ses doigts s'enfoncèrent dans ses cheveux, tandis que leur baiser se faisait de plus en plus passionné. Laissant échapper un petit soupir, elle s'abandonna aux sensations merveilleuses qui l'envahissaient. Ses inhibitions s'évanouissaient. La ferveur d'Alex était si manifeste. Jamais elle ne s'était sentie aussi bien dans les bras d'un homme…

Il quitta sa bouche pour mordiller doucement son cou, puis parsema chacun de ses seins de baisers. Lorsqu'il se mit à lécher et mordiller l'un des deux bourgeons hérissés, tout en pinçant l'autre entre ses doigts, elle fut transpercée par mille petites flèches de plaisir. Plus rien n'existait que la bouche d'Alex sur ses seins, sa peau contre sa peau, son désir qui attisait le sien.

Mais lorsque ses lèvres et ses mains poursuivirent leur descente, elle fut de nouveau étreinte par une angoisse qui lui coupa le souffle. Elle crispa les doigts sur le poignet d'Alex.

Il releva la tête. Dans la pénombre, elle lut la surprise dans ses yeux. Il avait oublié… Et il fallait reconnaître qu'elle avait presque oublié elle aussi.

Presque…

De nouveau tendue à l'extrême, Libby avait toutes les peines du monde à respirer. Alex avait peut-être envie de croire que l'état de sa jambe n'avait aucune importance, mais elle savait par expérience que c'était faux… Et pourtant, comme elle s'en voulait de douter de sa sincérité ! Comme elle se haïssait de se sentir aussi diminuée !

L'estomac noué, elle ferma les yeux, tourna la tête, et repoussa la main d'Alex d'un geste ferme.

Il se figea. Jusque-là, il s'était laissé aller, se laissant guider par le plaisir de découvrir le corps de Libby... Mais il était vrai qu'elle l'avait prévenu. Il y avait longtemps qu'elle n'avait pas fait l'amour. Ne l'avait-elle jamais fait depuis son accident ?

Il fallait la rassurer. Et donc insister. Ne surtout pas renoncer. Il se redressa et lui caressa la joue.

— Je t'ai fait mal ?

Gardant les yeux fermés, elle répondit d'une voix crispée :

— Non.

Il lui prit le menton, l'obligea à tourner la tête vers lui et attendit qu'elle ouvre les yeux.

— Fais-moi confiance, Libby. Fais-toi confiance aussi.

Prêt à attendre toute la nuit si nécessaire, il continua de la regarder dans les yeux en souriant. A sa grande joie, il vit peu à peu l'inquiétude s'estomper dans son regard, tandis que son corps se détendait. Il lui caressa la joue et elle finit par lui rendre son sourire.

Il reprit ses caresses. Ses doigts descendirent lentement le long de sa cuisse, puis au-delà du genou.

— Ça n'a aucune importance, murmura-t-il d'une voix apaisante. Aucune...

Il lui laissa encore du temps, parsema son visage et son cou de baisers, attentif au rythme de sa respiration. Lorsqu'il sentit de nouveau des frissons la parcourir, il quitta son cou pour lécher et mordiller la pointe hérissée d'un sein avant de l'aspirer goulûment. Libby cambra les reins en gémissant et il glissa la main entre ses cuisses. Lorsqu'il sentit sous ses doigts le témoignage flagrant de son désir, il émit un gémissement de pur plaisir. Avec une lenteur délibérée, il se mit à la caresser. Des gémissements rauques s'échappèrent de la gorge de Libby, tandis que des tremblements la parcouraient. Au bout d'un moment, il glissa les mains sous ses fesses et sa bouche prit le relais de ses doigts. Et bientôt, il sentit la jeune femme basculer dans la jouissance. Il attendit que les spasmes qui la secouaient s'apaisent, puis il se redressa et chercha ses yeux.

L'éclat inhabituel de son regard perdu dans le vague le remplit d'une joie indicible.

Avec un petit soupir d'aise, Libby referma les bras sur le dos d'Alex tandis qu'il s'enfonçait en elle tout en capturant sa bouche. S'abandonnant au rythme nonchalant de ses reins, elle sentait monter du plus profond d'elle de nouvelles sensations dévastatrices. Il accéléra peu à peu la cadence, l'emportant dans un tourbillon inexorable. Les doigts crispés sur son dos, elle fut balayée par un raz-de-marée qui lui coupa le souffle.

Le visage enfoui dans les cheveux de Libby, Alex murmura son prénom et s'immobilisa au plus profond d'elle, reculant le moment de se laisser engloutir, déterminé à savourer pleinement la tempête qui les emportait. Il aurait voulu que le temps s'arrête et le laisse ancré en elle pour l'éternité, témoin ébloui de son plaisir. Lorsqu'il fut emporté à son tour, soufflé par une explosion d'une violence inouïe, une seule pensée persista dans son esprit, tournoyante et joyeuse.

« J'ai beaucoup de chance. »

Libby contempla les étoiles qui scintillaient dans le ciel, écouta le bruit des vagues, puis se pelotonna avec délice contre Alex. Ils venaient de refaire l'amour et elle se sentait à la fois fourbue et débordante d'énergie. Tout son corps vibrait encore de ses caresses et de ses baisers. Jamais elle n'avait éprouvé un bien-être aussi absolu. Alex Wolfe dépassait tout ce qu'elle aurait pu imaginer dans ses rêves les plus fous.

— Tu as sommeil ?

La voix profonde la fit frissonner et elle se blottit encore plus étroitement contre lui.

— Non. Et toi ?

Il se tourna vers elle et lui caressa la joue.

— Non plus.

Elle soupira d'aise. Etait-ce un effet de son imagination ou bien baignait-il vraiment dans la même béatitude qu'elle ?

En tout cas, il avait su apaiser ses craintes. Après toutes ces années de doutes et de chasteté, elle se sentait plus désirable qu'elle ne l'avait jamais été.

Alex jouait avec ses cheveux, visiblement fasciné par les mèches qu'il enroulait autour de ses doigts.

— Je suis sûr que tu étais fantastique sur une planche de surf.

L'espace d'un instant, elle retint son souffle, mais les regrets déchirants qui l'accablaient parfois quand elle pensait à cette époque révolue ne se ravivèrent pas. Elle éprouvait même, pour la première fois, du plaisir à évoquer ses souvenirs.

— J'étais dans mon élément. Ma grand-mère disait que je savais nager avant de savoir marcher.

— Il faut croire que les dons se révèlent très tôt. Je suis monté pour la première fois sur un vélo à un peu plus de deux ans. A six ans, je faisais des acrobaties. J'ai failli me casser le nez en dévalant une colline.

— Ta mère devait être dans tous ses états.

— Ma mère est morte avant mon deuxième anniversaire. D'une overdose.

Libby sentit son cœur se serrer. Elle savait qu'il avait eu une enfance difficile, mais perdre sa mère si tôt et dans des circonstances aussi horribles…

— Tu ne te souviens pas d'elle, alors ?

— Ma mère, Amber, était apparemment plus douée pour faire la fête que pour changer les couches. Cependant, d'après ce qu'on m'a dit, elle aimait ses enfants. Il y a des photos d'elle en train de nous confectionner des déguisements, ou de faire des châteaux de sable avec nous sur la plage. Il est même arrivé que William se joigne à nous une ou deux fois. A leur manière un peu tordue, il est possible que mes parents aient été heureux. Amber faisait visiblement ressortir les meilleurs penchants de William, ainsi que les plus mauvais.

Alex détourna les yeux mais Libby eut le temps d'y voir la souffrance et les regrets. Son cœur se gonfla de compassion. Si seulement elle avait pu remonter le temps pour protéger le petit garçon innocent qu'il avait été… Mais puisque c'était impossible, pourquoi ne pas se confier à son tour ?

— J'étais en vacances avec une amie dans le nord du Queensland, quand j'ai eu mon accident. C'était ma faute. J'ai fait preuve d'imprudence.

Alex se redressa sur un coude.

— Comment ?

— D'abord, j'aurais dû attendre mon amie avant de me mettre à l'eau. Il n'y avait personne sur la plage. J'ai enfreint la règle numéro un.

— Ne jamais surfer seul, au cas où il y aurait un problème.

— Oui. La météo avait prévu de la brise de mer. Ce qui veut dire une houle très faible. Mais quand je me suis mise à l'eau le matin, les vagues étaient fortes.

Libby frissonna.

— Je ne m'étais pas rendu compte qu'il y avait du corail à proximité. Au bout d'une vingtaine de minutes, j'ai vu l'aileron. Alors j'ai décidé de sortir.

Alex pressa la main de Libby.

— Un requin…

— J'ai appris par la suite qu'il rôdait dans la baie depuis des semaines. Deuxième erreur. J'aurais dû me renseigner. J'ai pris une dernière vague, mais elle s'est effondrée sans former de rouleau. Quand je suis tombée, j'ai senti une douleur au mollet et je suis remontée à la surface un peu désorientée. Heureusement qu'à ce moment-là, je n'ai pas revu l'aileron. J'ai juste senti la morsure.

Alex jura à mi-voix et pressa de nouveau la main de Libby.

— Mon amie est arrivée à temps pour me voir tomber. Je ne la remercierai jamais assez d'avoir plongé pour venir me chercher. Elle a fait preuve d'un courage extraordinaire. Une fois sur le sable, elle a accompli les gestes de premiers secours, mais nous étions isolées. Il n'y avait que du sable et des palmiers à des kilomètres à la ronde. Elle a envoyé un S.O.S. de son portable. Une vedette de sauvetage qui croisait à proximité nous a recueillies. Au début, les médecins croyaient pouvoir sauver ma jambe, mais une infection s'est déclarée et… voilà.

— Ma luxation à l'épaule paraît vraiment ridicule à côté de ce que tu as enduré.

— Au début, c'était dur. Très déstabilisant. Mais j'ai remarché au bout de six mois. Aujourd'hui, les gens qui ne sont pas au courant ne se rendent compte de rien.

— Que ressens-tu quand tu vas dans l'eau ?

Libby remonta le drap jusqu'à son cou.

— Je n'y suis jamais retournée.

— Au fond de toi, tu dois en avoir envie, non ?

L'estomac de Libby se noua. C'était curieux… Evoquer l'accident, la blessure, la phase de réadaptation, elle pouvait le faire à peu près sereinement. Mais envisager de retourner dans l'eau… Impossible. Elle avait trop peur. Mais Alex Wolfe l'intrépide n'avait pas besoin de le savoir. Ce soir, elle ne voulait ni pitié, ni paroles d'encouragement.

— Un jour, peut-être, répliqua-t-elle en s'efforçant de prendre un ton léger. J'ai acheté cet appartement pour entendre le bruit de l'océan et sentir son odeur. Mais pour l'instant, ça ne m'a pas incitée à me remettre à l'eau.

Alex porta sa main à ses lèvres et déposa un baiser au creux du poignet.

— Tu as dû être bien entourée après ton accident.

— Oui. A l'exception notable de mon petit ami. Ou plutôt de mon fiancé. Nous avions prévu de nous marier.

— Ne me dis pas qu'il t'a laissée tomber à cause de l'accident !

— Scott était champion de surf, comme moi. Nous parcourions le monde ensemble pour surfer sur les meilleurs spots. Nous ne vivions que pour le sport. Après mon accident, les choses ont changé. Et moi aussi, bien sûr. Scott n'avait pas vraiment conscience des répercussions qu'avait ma blessure sur tous les aspects de ma vie. Ou plus exactement, il n'était pas prêt à faire l'effort nécessaire pour essayer de comprendre. Si nous ne pouvions plus surfer ensemble, nous n'avions plus rien en commun.

Libby eut un pincement au cœur.

— Ses visites se sont espacées. De toute façon, nous n'avions plus grand-chose à nous dire. Il est apparu que notre relation avait toujours été très superficielle. Pour lui, j'étais avant tout une partenaire assez prestigieuse pour le valoriser.

Pas question de préciser qu'il ne l'avait plus jamais touchée après l'accident. Mais le regard aigu d'Alex suggérait qu'il l'avait compris…

— Et il a fini par rompre, commenta-t-il.

— Non, c'est moi. Quand j'ai compris que nous n'avions plus rien à partager, la décision s'est imposée.

— J'espère que sa planche de surf et lui sont très heureux ensemble…

Libby eut une moue ironique.

— Oh ! Je n'ai aucun doute à ce sujet. Et je n'en éprouve aucune amertume. J'ai été soutenue par des amis fantastiques. Par mes parents. Et ma grand-mère, bien sûr… Même quand je passais mon temps à me lamenter sur mon sort.

Alex l'attira contre lui et pressa les lèvres sur son front.

— Tu es trop dure avec toi-même.

Non, ce n'était pas vrai… Mais quelle importance ? songea Libby. Elle avait survécu. Elle avait même réussi à s'épanouir. Dans certains domaines, en tout cas.

— J'avais besoin de trouver une autre activité à laquelle me consacrer avec autant d'enthousiasme. Non seulement je l'ai trouvée, mais je la considère comme bien plus importante que le fait de collectionner les médailles.

— Aider les autres à se remettre de leurs blessures. Et tu es d'une efficacité impressionnante.

— Tu es sincère ?

— Je sais que je n'ai pas toujours été facile, mais je suis impressionné par tes compétences. D'ailleurs, je crois que j'ai besoin d'une petite séance. Là, maintenant.

— Ton épaule te fait mal ?

— Non, ça se situe un peu plus haut.

Alex désigna sa bouche.

— Ici.

Elle rit.

— Je vais arranger ça.

Elle déposa un baiser sur ses lèvres.

— Ça va mieux ? Mais je devrais peut-être essayer une autre technique.

Elle lécha du bout de la langue la petite veine qui battait à la base de son cou.

Il roula sur le dos en la serrant contre lui, et murmura contre ses lèvres :

— Libby, j'ai mal partout…

9.

Le lendemain matin, Libby et Alex s'installèrent à la terrasse d'un café au soleil, près de chez la jeune femme, et commandèrent deux petits déjeuners. Fruits et toasts pour Libby, œufs au bacon, champignons et tomates pour Alex.

— Raconte-moi tes débuts au volant, demanda Libby. Tu m'as dit que tu étais connu dans toute la région parce que tu conduisais les voitures de ton père.

Alex s'essuya les lèvres. Parler de son père pouvait devenir délicat. D'ailleurs, c'était un sujet qu'il préférait éviter... Cependant, puisque Libby avait eu le courage de lui parler de ce minable avec qui elle avait été fiancée...

— La première fois que j'ai pris une voiture, je n'avais pas tout à fait quatorze ans. Mon père...

Son estomac se noua. Incroyable comme ses souvenirs étaient vivaces...

— William était odieux, comme d'habitude. J'avais besoin d'air, alors j'ai pris sa voiture de sport préférée et je suis parti. C'est ce jour-là que j'ai su ce que je voulais faire dans la vie. Au volant de la décapotable, je me suis senti dans mon élément. La vitesse, le vent dans les cheveux...

— Et ton père ne t'a jamais surpris ?

Alex crispa la mâchoire. Non, décidément, il n'aimait pas parler de cette époque. Il n'avait qu'une envie, l'oublier. Il but une gorgée de jus de fruit avant de répondre d'un ton qui se voulait désinvolte :

— Si, bien sûr. Conduire ses voitures était devenu une drogue pour moi. Je le faisais de plus en plus souvent. Il remarquait des égratignures sur la carrosserie. Parfois même une bosse.

Les corrections qu'il recevait chaque fois ne l'empêchaient pas de recommencer. Il aimait trop conduire…

— Tu as eu de la chance. Tu aurais pu te tuer. Ou tuer quelqu'un.

Bien sûr, elle avait raison. Et, Dieu merci, il avait rencontré par la suite quelqu'un qui lui avait appris le respect. Des voitures, des autres conducteurs et de lui-même.

— A vrai dire, mes virées m'on valu d'être renvoyé du lycée. Mais aussi de rencontrer une bande qui aimait la vitesse autant que moi.

Alex sourit. Il avait quand même des bons souvenirs…

— Je me suis acheté une moto tout-terrain au moteur trafiqué pour participer à des courses avec eux, le week-end. C'est là que j'ai pris goût à la compétition. Les week-ends où rien n'était prévu, nous organisions nos propres courses dans des terrains vagues.

— Vous deviez faire les quatre cents coups, commenta Libby, visiblement amusée.

— Il y a eu quelques fêtes, en effet.

Alex but une gorgée de jus de fruit. En particulier une…

— Trop de fêtes, sans doute.

Mais c'était une autre histoire… Qu'il n'avait pas envie de raconter à Libby maintenant. Ni à personne. Jamais.

La main de Libby se posa sur son bras et le fit tressaillir.

— Alex… ça va ?

Il s'efforça de chasser de son esprit l'image d'Annabelle après cette soirée, et accrocha un sourire à ses lèvres.

— Oui, ça va.

— Il t'est arrivé d'avoir des ennuis avec la police ?

— Un soir… Un policier m'a pris en pitié. Il m'a dit qu'il voulait bien fermer les yeux si j'essayais de tirer parti de mon habileté au volant au lieu de faire l'idiot. Il m'a donné le nom d'un copain à lui qui avait un atelier de mécanique dans le Buckinghamshire et qui travaillait sur des voitures de course.

— Et il t'a pris sous son aile ?

— Carter White est devenu mon coach personnel et sportif. Il m'a appris à bien me comporter dans la vie et sur les circuits.

Une profonde gratitude submergea Alex, comme chaque fois qu'il pensait à Carter.

— La première fois que je suis arrivé dans son atelier, j'ai voulu sauter dans la première voiture disponible pour faire de la vitesse. Il m'a d'abord appris tous les secrets de la mécanique. Il m'a aussi fait promettre de rattraper les cours que j'avais ratés après avoir été exclu pour absentéisme.

— Je croyais que tu avais été renvoyé à cause de tes virées.

— Oui, aussi. J'ai été renvoyé de plusieurs lycées.

Libby rit.

— Ce Carter White, il avait une baguette magique ? Comment s'y est-il pris pour remettre dans le droit chemin un ado aussi indiscipliné ?

— En faisant preuve d'une patience infinie et en procédant par étapes.

Un peu comme Libby pour son épaule, songea soudain Alex avant de poursuivre.

— Il m'a fait faire de la mécanique pendant des mois avant de me laisser conduire. Au début, je pensais que c'était pour me frustrer, mais j'ai très vite été fasciné par le fonctionnement des moteurs et la beauté des carrosseries. Après cinq ans de collaboration, je l'ai remercié et je suis parti pour la grande ville.

— Sur un coup de tête ?

— Non, avec sa bénédiction. En souvenir des années que nous avons passées ensemble, et pour que je n'oublie pas les espoirs qu'il avait mis en moi, il m'a offert une médaille fabriquée de ses mains. C'est mon talisman. Quand je cours, je l'ai toujours sur moi pour me porter chance.

Or, après le dernier message d'Annabelle, il avait oublié de la glisser dans la poche de sa combinaison. Et il avait eu l'accident…

— Je tiens plus à ce morceau de métal qu'à toutes les coupes et les trophées que j'ai déjà gagnés et que je pourrais gagner à l'avenir.

Cette médaille symbolisait non seulement tout ce qu'il avait gagné, mais aussi tout ce qu'il avait laissé derrière lui et dont il ne voulait plus jamais entendre parler. Carter lui avait dit de la transmettre à quelqu'un d'autre quand il n'en aurait plus besoin. Mais pas question. Il ne pourrait jamais se séparer de son talisman. Comme il ne pourrait jamais renoncer à la course…

— Tu vois encore Carter White ? demanda Libby.

Alex eut un pincement au cœur.

— Non. Il faudrait que je lui téléphone un de ces jours.

— Est-ce que les autres enfants Wolfe se sont eux aussi écartés du droit chemin avant de réussir dans la vie ?

Ils avaient tous eu leur période rebelle, songea-t-il avec dérision avant de répondre :

— Lucas, le deuxième de la fratrie, a toujours fait des siennes. Il n'a jamais connu sa mère et n'a même jamais su son nom. Il a été abandonné sur le seuil de Wolfe Manor très peu de temps après sa naissance. Notre père a toujours été particulièrement odieux avec lui. Pas étonnant qu'il ait eu tendance à se réfugier dans l'alcool et à collectionner les maîtresses. Mais dans son dernier courriel, Annabelle disait que notre play-boy invétéré avait trouvé le grand amour.

Un sourire ravi illumina le visage d'Alex.

— Très inattendu. Ça doit être une femme exceptionnelle.

Comme celle qui était assise en face de lui, songea-t-il aussitôt. Non qu'il cherche une épouse. Son style de vie, les mauvais souvenirs liés à une enfance sans parents… Il ne manquait pas de raisons de rester célibataire. Et il prenait toujours soin de ne jamais donner le moindre espoir aux femmes qu'il fréquentait. Il s'interdisait de faire des promesses qu'il se savait incapable de tenir. Pas comme le minable qui avait laissé tomber Libby…

— Et Jacob ? demanda-t-elle. Tu te demandais pourquoi il avait disparu du jour au lendemain, il y a vingt ans.

— Il avait de multiples raisons d'être tourmenté.

— On dirait que vous avez tous subi des traumatismes graves.

— Jacob peut-être plus que n'importe lequel d'entre nous.

Alex réprima un soupir. Il aurait bien aimé être complètement honnête, mais il ne parlait jamais de cet épisode. Sauf qu'aujourd'hui, en compagnie de Libby… Pour la première fois de sa vie, il avait envie de se confier.

— Un an avant son départ, il y a eu… un problème. Il a été mis en examen.

Libby pâlit.

— Quelles étaient les charges retenues contre lui ?

Le serveur apporta la note et Alex la signa.

— Tu veux que nous fassions un tour ?

— Avec plaisir.

Quelques minutes plus tard, sur le front de mer, Alex prit Libby par la taille et indiqua les déferlantes.

— Ça ne te pose pas de problème d'être si près de l'eau ?

— Non, je viens souvent ici. Même si je ne mets jamais les pieds sur le sable… Mais nous parlions de Jacob.

Alex eut un instant d'hésitation, mais soudain il fut submergé par un flot de souvenirs enfouis, qui semblaient jaillir de l'eau trouble d'une mare croupissante. Comment avait-il fait pour résister pendant ces années tragiques ? Comment s'en étaient-ils sortis, lui et les autres enfants Wolfe ? Sans doute disposaient-ils tous de la même arme. La résilience, qui leur avait permis de survivre à la violence et à la folie destructrice. Comme le bambou, ils s'inclinaient pendant la tempête, pour se redresser à la première embellie, robustes, inébranlables.

— Mon père était un homme instable et violent. Il était sujet à des sautes d'humeur aggravées par l'abus d'alcool. Nous étions tous victimes de sa brutalité. Tous sauf une. Et puis un soir…

La voix d'Alex s'éteignit.

— Alex… ton père n'a tué personne ? s'exclama Libby.

— Il aurait pu.

— Qui ?

Alex dut lutter contre la nausée. Aujourd'hui encore, après toutes ces années, ce souvenir le rendait malade… Prenant une profonde inspiration, il prononça d'une voix rauque, les mots qui n'avaient jamais franchi ses lèvres :

— Il a agressé ma sœur.

Libby tressaillit.

— Annabelle ?

— Il avait passé la journée dehors à cheval. En compagnie d'une bouteille. Quand Annabelle est rentrée à la maison, il lui a reproché de porter une tenue indécente.

Alex revit la minijupe, les talons aiguilles et le maquillage d'Annabelle. Elle avait quatorze ans mais elle en paraissait au moins quatre de plus. Elle ressemblait plus à une femme qu'à une adolescente.

— Notre père l'a accablée d'injures, puis il a sorti sa cravache…

Fermant les yeux, Alex tenta de chasser de son esprit la scène qu'on lui avait décrite. Comment se résoudre à formuler l'indicible ? A affronter la honte ?

Les yeux écarquillés, la jeune femme avait plaqué une main sur sa bouche.

Alex déglutit péniblement. Elle ignorait qu'il méritait son aversion autant que son père. De tous les enfants Wolfe, il était le plus proche d'Annabelle, et pourtant il l'avait laissée tomber. Au lieu de veiller sur elle, il l'avait abandonnée. Heureusement que son frère était rentré à temps…

— Jacob s'est jeté sur notre père et l'a poussé pour l'écarter d'Annabelle, reprit-il en ralentissant le pas. William a perdu l'équilibre et sa tête a heurté l'arrête d'une marche de l'escalier. Il est mort sur le coup. Jacob a bénéficié d'un non-lieu, mais cela ne l'a pas empêché d'être rongé par la culpabilité.

Tout comme lui…

— Il vous arrive d'en parler, Annabelle et toi ?

— Quel intérêt ?

Surprise par le ton vif d'Alex, Libby scruta son visage.

— Y a-t-il autre chose ? demanda-t-elle d'une voix douce.

Le cœur battant à tout rompre, il garda le silence. Il en avait dit assez. Sa sœur ne serait plus jamais la même et il en était en grande partie responsable. Comment auraient-ils pu évoquer une scène aussi cruelle, qui l'avait laissée estropiée à vie ?

— Alex ?

S'efforçant de se ressaisir, il s'apprêtait à changer de sujet quand un groupe assis autour d'une table de pique-nique attira son attention. Une femme qui tenait un magazine à la main pointait son index vers eux. La presse s'intéressait de nouveau à lui, apparemment…

Mais peu importait. Il n'avait plus le bras en écharpe. Grâce à Libby, il aurait bientôt retrouvé l'usage normal de son bras. Et après être resté cloîtré pendant plus de deux semaines, il avait envie de changer d'air.

Peut-être avait-elle besoin de se changer les idées, elle aussi… Oui, c'était une excellente idée. La gorge soudain sèche, Alex réprima une moue de dérision. Il était nerveux ? Il appréhendait la réaction de Libby à son invitation ? Décidément, l'isolement et l'inaction ne lui valaient rien. Voilà qu'il était devenu aussi timide qu'un adolescent ! C'était ridicule. Pourquoi refuserait-elle ?

— Que dirais-tu de nous échapper d'ici ?

— D'ici ?

— De Sydney.

L'espace d'un instant, Libby resta clouée sur place. Avait-elle bien entendu ? Puis son cœur se gonfla de joie et elle faillit taper dans ses mains en s'écriant : « On part quand ? » Après avoir passé la nuit avec un homme aussi fantastique, quelle femme aurait eu l'idée de refuser ?

Mais presque aussitôt, elle fut assaillie par le doute.

Où qu'il aille, Alex ne passait jamais inaperçu. A la fois célèbre et irrésistible, il attirait tous les regards. A quelques mètres d'eux, un groupe assis à une table de pique-nique l'avait visiblement reconnu. Or, à présent qu'il n'avait plus le bras en écharpe, la discrétion ne semblait plus faire partie de ses priorités. Toute personne vue en sa compagnie ne risquait pas de passer inaperçue non plus.

Ce qui posait un problème.

S'afficher avec Alex n'était pas une bonne idée. Les gens avaient tous des portables équipés d'appareils photos ou même de caméras. Et ils n'hésitaient pas à s'en servir. Alex avait peut-être l'habitude de ce genre d'intrusion, mais pour sa part, elle n'était plus sous les feux de l'actualité depuis des années, et elle en était ravie. Elle n'avait aucune envie de voir sa vie, présente ou passée, disséquée dans les journaux ou sur internet. « Le champion et sa kiné — Coup de foudre sur la table de massage » ? Non, ce serait désastreux pour sa carrière.

— Eh bien, quel enthousiasme ! commenta-t-il en arquant les sourcils.

— Alex, tu es conscient que tu ne peux pas faire un pas dans la rue sans être reconnu, je suppose ?

— Nous risquons de nous retrouver en couverture d'un magazine people ? Et alors ? Nous n'en mourrons pas.

— Ce genre de publicité peut nuire gravement à ma carrière.

— Si tu y tiens, nous pouvons porter des lunettes noires et des moustaches postiches.

Alex rit et Libby ne put s'empêcher d'en faire autant. Se compliquait-elle trop la vie ? Comme lorsqu'elle était persuadée qu'il ne voudrait pas d'elle s'il découvrait qu'elle portait une prothèse ?

— Plus sérieusement, si tu préfères, nous resterons ici. Je comprends que tu veuilles te protéger.

Libby soupira. Allons bon, à présent elle avait des remords *et* des regrets…

Elle se sentait si bien avec Alex… Pourquoi se priver de moments aussi merveilleux ?

— Non, c'est d'accord. Partons.

— Tu es sûre ?

— Certaine.

Quand Alex arriva chez lui une heure plus tard, Eli était assis sur les marches de la terrasse, un magazine à la main. Le même que les gens assis à la table de pique-nique ? Ou un autre… Quelle différence ?

Eli lui tendit le magazine, la mine sombre.

— Pas difficile de deviner où tu as passé la nuit.

Alex laissa échapper un juron. Libby et lui en bas de chez elle… En train de s'embrasser.

Les deux hommes rentrèrent dans la villa et gagnèrent le bureau.

— On ne distingue pas son visage et son nom n'est pas mentionné, commenta Eli. Mais les questions vont pleuvoir. Que devrai-je répondre quand le téléphone commencera à sonner ?

— « Pas de commentaire. »

Alex s'assit dans son fauteuil.

— Je l'emmène en week-end.

Eli arqua les sourcils.

— Dans un endroit isolé ?

— La Gold Coast.

— Pour une escapade discrète, ce n'est pas l'endroit idéal ! Tu ne peux pas choisir un endroit moins touristique ? Les paparazzi doivent pulluler, là-bas. Je ne pense pas que Libby Henderson ait envie de se retrouver sous les projecteurs.

— Elle est majeure, rétorqua Alex d'un ton vif.

Eli leva les mains.

— Tu as raison. Ça ne me regarde pas.

Alex alluma son ordinateur et fit une recherche sur internet. Des photos de plages de sable doré bordées de gratte-ciel s'affichèrent à l'écran. Une heure de vol, distractions à profusion. L'endroit idéal pour un week-end…

— Tu peux donner les instructions nécessaires pour que le jet soit prêt à décoller à 15 heures, s'il te plaît ? Il me faut aussi une limousine avec chauffeur et une suite au dernier étage du Jupiters Hotel & Casino.

— Pour passer inaperçu, rien de tel, ironisa Eli.

Mieux valait ne pas relever, décida Alex.

— Réserve aussi des places pour le spectacle du casino.

— Et si c'est complet ?

— Je te fais confiance pour obtenir des places quand même, comme d'habitude.

Il n'avait aucune raison d'en vouloir à Eli, songea Alex après le départ de son assistant. Après tout, il était payé pour émettre des avis et donner des conseils. Il devait le soupçonner d'avoir séduit Libby par intérêt. Pour une fois, il se trompait. S'il emmenait sa kiné en week-end, ce n'était pas dans l'espoir d'obtenir plus facilement le feu vert pour le Grand Prix de Chine. D'ailleurs, ce n'était pas la kiné qu'il avait invitée, mais la femme. Parce qu'elle lui plaisait et que c'était réciproque.

Il n'y avait aucun mal à vouloir s'offrir une parenthèse. Comme il l'avait souligné, elle était majeure. Et intelligente. Elle n'attendait sûrement rien de lui. D'ailleurs, il ne lui avait rien promis. Elle était bien placée pour savoir que la course automobile occupait tout son temps et mobilisait toute son énergie.

Il n'était pas fait pour les relations durables. Eli le savait. Le monde entier le savait. Libby l'avait forcément compris.

Surtout après avoir eu ce matin un nouvel aperçu du contexte familial délétère dans lequel il avait grandi.

10.

La Gold Coast était une agglomération qui s'étendait sur une cinquantaine de kilomètres le long du Pacifique. La région avait beau être de plus en plus touristique et urbanisée, elle était toujours aussi agréable, songea Libby en regardant par la vitre de la limousine. Les plages étaient magnifiques et la vie nocturne incomparable.

Malgré tout, elle avait encore des doutes. Avait-elle eu raison d'accepter ce séjour éclair au Jupiters Hotel & Casino de Broadbeach ?

Elle jeta un coup d'œil à Alex, assis à côté d'elle sur la banquette arrière. Une douce chaleur l'envahit. Quels moments inoubliables elle avait passés dans ses bras, cette nuit ! Et ce matin, en levant un peu plus le voile sur les épreuves terribles qu'il avait traversées pendant son enfance, il lui avait témoigné sa confiance. Pourquoi regretter d'avoir accepté son invitation ? Elle devait se réjouir de sa chance, au contraire ! Et tant pis si un photographe les surprenait ensemble…

Joignant les mains sur ses genoux, Libby s'efforça de se concentrer sur les gratte-ciel qui défilaient derrière la vitre. Doucement, elle ne devait pas s'emballer. Même si elle rêvait déjà secrètement d'autres voyages en compagnie d'Alex. Comment s'en empêcher ? Ils s'entendaient si bien…

La voix d'Alex interrompit ses pensées.

— Je t'ai déjà dit que nous allions au spectacle, ce soir, n'est-ce pas ?

Elle fredonna aussitôt un air de la comédie musicale en question et il émit un petit rire ravi.

— Tu aimes la musique ?

— Bien sûr !

— La danse ?

— Oh, je n'ai pas dansé depuis des années !

— Nous allons y remédier.

Pourquoi pas ? songea-t-elle aussitôt. Malgré sa prothèse, elle s'en sentait capable. Surtout dans les bras d'Alex…

La limousine remonta l'allée de l'hôtel casino, énorme bâtiment extravagant qui évoquait un escalier géant. Tandis que le soleil descendait vers l'horizon, sa façade s'illuminait peu à peu de lumières scintillantes. Il était entouré d'un grand parc foisonnant de palmiers et de fleurs exotiques aux couleurs sublimes. Elle avait l'impression d'arriver au paradis, songea Libby, éblouie.

Quelques instants plus tard, lorsqu'elle pénétra dans le hall de cet établissement prestigieux en compagnie d'Alex, elle vit les yeux verts de la réceptionniste s'écarquiller. Pas de doute, Alex passait à peu près aussi inaperçu que Russell Crowe…

Après avoir signé le registre de l'hôtel, ils montèrent au dernier étage par un ascenseur dont les parois vitrées offraient une vue plongeante sur les étages inférieurs. Lorsque Alex ouvrit la porte de la suite, Libby eut le souffle coupé par la somptuosité du décor. Epais tapis aux tons chauds et lourds rideaux assortis, canapés et fauteuils en cuir, immenses baies vitrées…

Alex se mit derrière elle, glissa les bras autour de sa taille et lui murmura à l'oreille :

— Ça te plaît ?

Elle hocha vigoureusement la tête.

— C'est fabuleux.

— Je peux prolonger la réservation, si tu veux.

Le cœur de Libby fit un bond dans sa poitrine, mais la raison l'emporta.

— Il faut que je sois à mon cabinet lundi matin.

— Pas moyen de reporter tes rendez-vous ?

Inutile de répondre, décida-t-elle. Il la connaissait assez bien pour savoir qu'elle ne se permettrait jamais de faire faux bond à des clients pour des raisons purement personnelles.

Les lèvres sur sa nuque, il eut un petit rire.

— Je considère ce silence comme un « non ». Alors jusqu'à dimanche soir…

Il la fit pivoter sur elle-même.

— … ne pensons qu'à nous.

Il s'empara de sa bouche dans un baiser qui lui donna le vertige. Oh, comme elle avait eu raison de venir ici avec lui ! C'était le bonheur parfait !

— Tu es sûre de vouloir aller au spectacle, ce soir ? murmura-t-il contre ses lèvres. Nous pourrions passer la soirée ici. Je commanderais du champagne et nous le dégusterions au lit…

Au milieu d'un nouveau baiser enflammé, le portable d'Alex émit une sonnerie.

— Ne fais pas attention, marmonna-t-il.

— C'est peut-être important…

— Cela m'est égal…

A la deuxième sonnerie, il interrompit leur baiser en soupirant et prit son portable.

— C'est Annabelle.

Il lut le message et plissa le front.

— Un problème ?

— Elle me demande si j'assisterai au mariage de Nathaniel le week-end prochain. Je l'ai déjà prévenue que j'avais une course.

L'estomac de Libby se noua. Il parlait du Grand Prix de Chine… D'une démarche mal assurée, elle s'éloigna en direction de la baie vitrée. Impossible d'éluder le problème plus longtemps.

— Ce n'est pas encore certain.

Consciente du regard aigu qui lui vrillait le dos, elle déglutit péniblement. Même s'il lui avait fait comprendre dès le premier jour qu'il attendait d'elle un certificat lui permettant de reprendre la compétition avant les six semaines prescrites, elle n'avait jamais donné son accord. Mais elle n'avait pas refusé non plus. En fait, elle était restée dans le flou. Délibérément. Aujourd'hui, pour de multiples raisons, il fallait absolument mettre les choses au point. Elle pivota sur elle-même.

— Les progrès constatés au niveau de l'épaule sont très satisfaisants. Mais étant donné que ton médecin a spécifié très précisément la durée de la rééducation, je ne peux prendre aucune décision pour l'instant.

Les yeux plissés, Alex s'avança vers Libby.

— Rien ne t'empêche d'effectuer une évaluation avant l'échéance, n'est-ce pas ?

Après une hésitation, Libby soupira.

— Non, en effet.

— Parfait.

— Il faut que tu saches que je ne falsifierai pas les résultats.

Un sourire se dessina sur les lèvres d'Alex.

— Bien sûr.

Libby scruta son visage. Lors de leur première rencontre, elle croyait l'avoir percé à jour. Alex Wolfe était capable de tout pour favoriser sa carrière, y compris séduire sa kinésithérapeute. C'était le jugement définitif qu'elle avait porté sur lui. Contre toute attente, au cours des dernières vingt-quatre heures, elle avait changé radicalement d'avis à son sujet. Désormais, elle lui faisait confiance. Elle avait la certitude que même s'il en avait eu l'intention au début, il ne tenterait jamais de la manipuler.

— Quand dois-tu prévenir ton médecin que tu veux participer au Grand Prix de Chine ?

— Je peux attendre mercredi.

Libby réfléchit. Il était en parfaite condition physique. Ses muscles et ses tendons avaient bien réagi à la rééducation. Elle estimait qu'il n'était pas encore tout à fait prêt... Mais s'ils avaient jusqu'à mercredi et si elle testait son épaule à ce moment-là, en toute objectivité...

— Et si je décide que tu n'es pas en état de courir ?

Alex haussa les épaules d'un air résigné.

— Nous irons au mariage de mon frère à Londres.

Elle fut prise de vertige. Alex l'invitait à un mariage ?

Et pas n'importe quel mariage... Une réunion de famille où il retrouverait ses frères, ainsi que la sœur jumelle qu'il adorait manifestement. Et qui lui manquait beaucoup, même s'il n'était pas prêt à l'admettre.

— Je préférerais t'emmener en Chine avec moi, ajouta-t-il en la rejoignant. Mais gardons le Grand Wolfe Hotel comme plan de secours.

Il lui prit la main et l'entraîna vers la chambre.

— Pour l'instant... allons tester le lit.

Ils dînèrent au restaurant gastronomique surplombant l'atrium du casino, dans un décor raffiné idéal pour déguster de la grande cuisine. Plus tard, dans la foule qui se pressait au casino, Alex, plus superbe que tous les James Bond réunis dans son smoking, murmura à Libby avec un sourire malicieux :

— Je suggère que vous mettiez cette robe pour la séance de lundi matin, docteur.

Libby laissa échapper un petit rire joyeux. A vrai dire, elle aurait presque pu se prendre pour une princesse dans cette robe du soir qu'elle avait achetée pour le dîner de l'Association australienne de physiothérapie du mois prochain. Le corsage sans bretelles, incrusté de perles, moulait étroitement le buste, tandis que la jupe de satin doré tombait jusqu'au sol en plis souples.

— Ça ne serait pas très pratique !

— Quelle importance ?

Alex mordilla l'oreille de Libby avant d'ajouter :

— Tu veux jouer sur les machines à sous ? Ou bien préfères-tu le black-jack ?

— Ni l'un ni l'autre.

— Moi non plus, ce n'est pas mon truc.

Les yeux d'Alex étincelèrent.

— Mais je t'ai fait une promesse. Nous allons danser.

Libby s'immobilisa. Etait-ce vraiment une bonne idée ?

Elle n'en était plus très sûre… Mais elle n'avait aucune envie de paraître lâche.

Avant qu'elle ait le temps de trouver un prétexte pour esquiver cette épreuve, Alex l'entraîna vers la réception. Il lui demanda de l'attendre à côté d'une fontaine, puis il gagna le comptoir et échangea quelques mots avec un homme qui hocha la tête d'un air enthousiaste avant de lui tendre quelque chose. Rejoignant Libby, il déposa un baiser furtif sur sa joue.

— Allons-y.

Refusant d'en dire plus, il l'entraîna dehors, où les attendait une voiture de sport noire. Un portier ouvrit la portière passager à Libby tandis qu'Alex s'installait au volant.

— Où m'emmènes-tu ? demanda-t-elle avec une pointe d'appréhension.

Il eut un large sourire.

— Top secret.

Ils laissèrent rapidement les lumières de l'agglomération derrière eux. Quelques instants plus tard, Alex se gara sur un parking désert non éclairé, situé à proximité de dunes de sable. Il descendit pour ouvrir la portière de Libby et l'aida à descendre.

Une légère brise de mer fit voleter ses cheveux, tandis qu'elle promenait un regard perplexe autour d'elle. Les lumières et le bruit de la ville semblaient à des années-lumière. Derrière les dunes, on entendait le bruit des vagues.

Alex lui prit la main.

— Allons marcher un peu.

Elle tressaillit.

— Sur la plage ?

— Bien sûr.

Il lui pressa la main.

— Enlève tes chaussures.

— Alex, tu sais que je n'ai pas…

Prenant le visage de Libby à deux mains, Alex lui sourit.

— Tu n'as pas mis les pieds sur une plage depuis ton accident. Pourquoi ne pas essayer ce soir ?

Ce soir ?

— Tu es sérieux ?

— Très sérieux.

Lorsqu'il enleva ses chaussures, elle déglutit péniblement. Nu-pieds, il s'éloigna vers les dunes et jeta un coup d'œil derrière lui.

— Tu viens ?

Le vertige la saisit. Il ne se rendait pas compte…

— Le sable est doux et frais, dit-il avant de lever le nez en l'air. Je sens les embruns sur mon visage.

Fermant les yeux, Libby leva la tête à son tour. Une bouffée d'air marin emplit ses poumons. Elle fut assaillie par des images d'elle petite fille, en train de jouer avec insouciance sur la plage. Une envie irrésistible de retrouver le sable la submergea.

« Vas-y ! » lui souffla une petite voix.

Avant d'avoir le temps de se raviser, elle enleva ses chaussures et rejoignit Alex sur la dune. Il l'embrassa avec un rire joyeux, puis il lui prit la main et ils descendirent la pente de sable.

Libby se surprit à rire gaiement à son tour. Oui, le sable était frais et doux ! Comme c'était bon ! Aurait-elle dû essayer plus tôt, ou bien était-ce justement ce soir le bon moment ? Avec la bonne personne… Elle ne pouvait pas dire que l'angoisse avait complètement disparu. Mais avec la main d'Alex qui tenait fermement la sienne, elle parvenait à la surmonter et à se concentrer sur les bons souvenirs plutôt que sur les mauvais.

— Quel effet ça fait ? demanda Alex.

— Un peu bizarre… mais très agréable.

Visiblement ravi, il déclara :

— Quelqu'un m'a dit un jour que nos seules limites sont celles que nous nous imposons.

— Carter White ?

Il hocha la tête, puis il indiqua quelque chose, au loin sur la plage.

— On dirait que nous sommes attendus.

Libby eut un pincement au cœur. Elle pensait qu'ils étaient seuls. Rien qu'eux deux, le sable, la mer et les étoiles…

Mais, en effet, un peu plus loin sur la plage se dressait une petite tente, faiblement éclairée par des lumières tamisées. Soudain, une musique assourdie se mit à flotter dans la nuit, surgissant de nulle part. Violons, saxophones… un orchestre invisible jouait.

La tente était vide, constata Libby quelques instants plus tard, lorsqu'ils l'atteignirent. Personne dessous, personne autour… Pas de rires ni de voix… On n'entendait que la musique. Et curieusement, Alex semblait trouver ça tout à fait normal.

— C'est toi qui as tout organisé, n'est-ce pas ?

Il eut un petit rire ravi.

— Je plaide coupable, Votre Honneur.

A l'intérieur de la tente les attendait un seau à champagne, posé sur une table basse. Alex examina l'étiquette de la bouteille.

— Année exceptionnelle. Mais nous l'ouvrirons plus tard. Pour l'instant…

Il remit la bouteille dans le seau, prit les mains de Libby, y déposa des baisers, puis les pressa contre son torse.

— Nous allons danser.

— Ici ?

— Oui.

— Mais… le sable, c'est traître.

Il glissa son bras libre autour de sa taille.

— Je suis là.

Libby voulut protester. Non, elle n'avait pas envie de danser ! En descendant sur la plage après si longtemps, n'avait-elle pas déjà accompli un exploit suffisant pour la soirée ? Mais le regard d'Alex ne la quittait pas. De toute évidence, il ne doutait pas qu'elle était capable de faire ce qu'il lui demandait…

Elle inspira profondément et se laissa pénétrer par la musique.

Sur le refrain d'une célèbre chanson d'amour, Alex esquissa un pas, puis un autre… Libby suivit le mouvement, d'abord hésitante. Mais il la guidait habilement, accélérant peu à peu le rythme. Soudain, il la fit tournoyer, la ramena contre lui et l'entraîna de nouveau dans une série de pas cadencés.

Il appuya son front contre le sien.

— Alors, qu'en dis-tu ?

Avant qu'elle ait le temps de répondre, il la fit de nouveau tourner sur elle-même, puis entama un tango. Incrédule, elle s'attendait à tomber à tout instant. Ses mouvements manquaient de souplesse mais elle persévéra. Quand Alex changea de direction, elle le suivit instinctivement, s'abandonnant pour la première fois depuis des années au plaisir de la danse.

Elle leva le visage vers la lune en riant.

Elle dansait !

Ils continuèrent de danser jusqu'à ce que l'air de la nuit soit trop frais sur les bras nus de Libby. Alex enleva alors sa veste de smoking et l'enveloppa dedans. Sous son regard intense, Libby fut soudain frappée par une évidence. Elle croyait aimer Scott autrefois, mais ce qu'elle avait ressenti pour lui semblait ridicule à côté des émotions grisantes qu'Alex faisait naître en elle. Cependant, il fallait garder la tête froide. Rester prudente…

Elle s'écarta d'Alex et s'éloigna en direction des vagues. Inspirant profondément l'air marin, elle attendit que les battements affolés de son cœur s'apaisent.

— Tu as toujours froid ? murmura une voix profonde à son oreille.

S'enveloppant plus étroitement dans la veste, elle se laissa aller en arrière contre le corps puissant d'Alex.

— Je suis merveilleusement bien.

— Tu es sûre ? La brise est fraîche. J'ai allumé le chauffage, au cas où.

Alex entraîna Libby sous la tente, où un gros radiateur d'extérieur diffusait en effet une chaleur bienfaisante. Sur un divan recouvert de coussins moelleux était pliée une couverture blanche. Elle arqua les sourcils.

— Tu as pensé à tout…

Elle s'allongea sur le divan et refusa le champagne qu'il lui proposait. Elle avait juste envie de contempler la mer dans la pénombre, pelotonnée contre Alex… Il la rejoignit et l'enveloppa dans la couverture.

— Tu as assez chaud ?

Elle se blottit contre lui avec un soupir d'aise. Tout en lui caressant l'épaule, il déclara :

— Les reflets de la lune sur la mer ressemblent à des filets incrustés de perles.

— Décidément, tu aimes les perles !

— Seulement depuis que je te connais. C'est peut-être à cause de notre conversation l'autre jour, au restaurant, pendant le déjeuner. Ou alors, c'est le brillant de tes cheveux qui me rappelle l'éclat des perles. Je ne sais pas.

— Ma grand-mère disait que les perles représentaient des larmes.

— Dans certaines religions, les perles représentent la plénitude.

Libby ne put s'empêcher de rire.

— Y a-t-il un sujet que tu ne connaisses pas à fond ?

Il déposa un baiser sur ses lèvres.

— J'ai encore une foule de choses à découvrir à ton sujet.

Il s'empara de sa bouche avec fougue. Au bout d'un moment, sans cesser de l'embrasser, il la renversa sur le canapé et glissa la main sous sa robe. Transpercée par mille petites flèches de plaisir, elle laissa échapper un gémissement étranglé.

Le lendemain, ils passèrent la journée à Surfers. Après avoir dégusté une glace sur Cavill Avenue et visité le musée de cire, ils déjeunèrent à la Surfers Paradise Tavern, établissement emblématique datant de l'époque où Surfers était encore une petite ville isolée du nom d'Elston. Quand quelqu'un se mit à chanter à tue-tête le refrain d'une chanson de Slim Dusty, tout le monde le reprit en chœur, y compris Alex.

Dans l'après-midi, la limousine vint les chercher pour les emmener dans l'intérieur des terres. Libby eut beau harceler Alex de questions, il refusa de lui révéler où ils allaient. Une demi-heure plus tard, ils pénétrèrent dans une immense propriété avec une maison extravagante aux allures de ranch.

— C'est à toi ?

— A un ami.

— Tu voulais profiter de ton passage dans la région pour lui rendre visite ?

— Il est en Italie.

Libby plissa le front.

— Je ne comprends pas.

— Darren est un coureur automobile. Quand il a arrêté la compétition, cela lui a tellement manqué qu'il s'est fait construire une piste privée.

— Ah, je comprends ! Tu vas faire un tour en voiture.

Libby eut un large sourire. Elle avait hâte de voir Alex en action. Du moment qu'il ne forçait pas sur son épaule, bien sûr…

— Oui. Je vais faire un tour.

Alex lui prit la main.

— Et tu viens avec moi.

Le cœur de Libby se mit à battre la chamade. Au volant, elle n'avait jamais été casse-cou. Le surf présentait certains dangers, certes, mais rien que de penser à la vitesse à laquelle pouvait rouler Alex sur un circuit, elle en était malade… Elle tenta de se dérober mais, comme à son habitude, Alex insista. Grâce à lui, la nuit dernière elle avait marché sur la plage et dansé sous les étoiles, se rappela-t-elle.

Dix minutes plus tard, ils attachaient leurs ceintures, casque sur la tête. La piste qui se déroulait devant eux ressemblait aux circuits professionnels qu'elle avait vus à la télévision. Quand Alex mit le contact, elle s'exhorta à se détendre mais crispa les doigts sur ses cuisses.

— Cette voiture est un véritable bolide, annonça Alex avec une joie enfantine.

Elle s'humecta les lèvres.

— A quelle vitesse comptes-tu rouler ?

Il lui pressa le genou.

— Ne cherche pas à savoir.

La voiture partit comme une fusée. Le visage fouetté par le vent, submergée par une terreur insurmontable, Libby tenta de se raisonner. Elle était conduite par un professionnel. Le meilleur de tous. Mais ce virage… Il n'arriverait jamais à le prendre. C'était impossible. Il allait beaucoup trop vite… Elle jeta un regard horrifié à Alex. Les yeux plissés, sourire aux lèvres, il était concentré sur la piste. Il rétrograda au dernier moment et prit le virage à la corde.

Malgré le rugissement du moteur et le sifflement du vent, Alex entendit le cri aigu de Libby, mélange de terreur et d'excitation. Il éclata de rire.

Fantastique.

C'était la première fois qu'il se trouvait dans cette situation. Au volant sur une piste, avec une femme à côté de lui. Jusqu'à aujourd'hui, c'était une possibilité qui ne lui avait jamais effleuré l'esprit.

Il avait eu envie d'offrir à Libby une expérience hors du commun. Et de toute évidence, elle l'appréciait.

A 20 heures, ils étaient de retour à l'aéroport de Sydney, où la limousine noire les attendait. Libby vibrait encore d'excitation. Quel week-end !

Alex attendit que la limousine se gare devant son immeuble pour lui prendre la main et demander :

— Viens chez moi.

Elle ferma les yeux. Comme c'était tentant !

— Ce n'est pas une bonne idée.

— Moi, je trouve que c'est une idée fabuleuse, au contraire.

Il se pencha vers elle, mais elle l'arrêta en posant les mains sur son torse.

— Il faut que je me lève tôt. Si je vais chez toi, je ne fermerai pas l'œil de la nuit.

Pour une fois, Alex n'insista pas.

— Dans ce cas…

Il prit un petit sac de plastique rose dans le vide-poches de la portière.

— Je t'ai acheté un cadeau.

Elle ouvrit de grands yeux.

— Qu'est-ce que c'est ?

— Ouvre-le.

Elle prit le sac et fit glisser le contenu dans le creux de sa paume. Un petit coquillage doré rempli de pierres bleues scintillantes, sur lesquelles reposaient trois perles du plus bel orient.

— Je l'ai trouvé dans une boutique de souvenirs. Les pierres bleues symbolisent la mer. Les trois perles représentent le passé, le présent et l'avenir. En le voyant, j'ai tout de suite pensé qu'il était fait pour toi.

Libby fut étreinte par une vive émotion. C'était un colifichet, mais il l'avait choisi avec son cœur, et rien n'aurait pu lui faire plus plaisir !

La gorge nouée, elle murmura :

— Merci. C'est un cadeau très précieux. Une amulette qui ne me quittera plus.

— Je te raccompagne chez toi.

Elle serra le coquillage au creux de sa main. Non… Elle venait de passer deux jours enchanteurs, mais mieux valait éviter de dire au revoir à Alex à la porte de l'immeuble ou de l'appartement. Il lui demanderait de l'inviter chez elle et elle n'aurait pas la force de refuser. Or, ce soir, il le fallait absolument.

— Si tu me raccompagnes, tu vas m'embrasser et si tu m'embrasses, je vais t'emmener chez moi. Il ne faut pas. Nous avons tous les deux besoin de sommeil.

Alex hocha la tête, puis il frappa à la cloison vitrée pour demander au chauffeur d'ouvrir la portière à Libby et de sortir ses bagages du coffre.

— Merci pour ce merveilleux week-end, murmura-t-elle en regrettant déjà d'être restée ferme.

— Nous recommencerons bientôt.

Il ne précisait pas quand, songea-t-elle aussitôt. Après

un baiser beaucoup trop bref à son goût, Libby descendit de la limousine et suivit le chauffeur chargé de ses bagages jusqu'à l'entrée de son immeuble. Elle pénétra dans le hall, s'immobilisa et ouvrit la main. Sans ce coquillage, elle aurait presque pu croire que ce week-end n'avait eu lieu que dans ses rêves…

Elle poussa un profond soupir. Plus elle connaissait Alex Wolfe, plus elle le trouvait irrésistible. A quoi bon le nier plus longtemps ?

Elle était en train de tomber amoureuse.

11.

Le lendemain matin, Libby arriva épuisée à son cabinet. Dire qu'elle n'avait pratiquement pas fermé l'œil de la nuit ! Elle s'était tournée et retournée dans son lit jusqu'à l'aube. Finalement, il aurait mieux valu qu'Alex la raccompagne… Au moins, elle ne se serait pas réveillée seule !

Elle avait posé le coquillage sur sa table de chevet et elle avait regardé les pierres scintiller dans la pénombre, tout en se remémorant chaque instant de ce week-end magique avec Alex Wolfe… son amant. Son patient. Le champion dont elle avait promis d'examiner l'épaule dans deux jours.

Il n'avait pas fait de nouvelle allusion au mariage de son frère, hier soir. Sans doute partait-il du principe que l'évaluation de son épaule serait favorable. Et si elle estimait au contraire qu'il n'était pas en état de courir ? Il fallait s'attendre à ce qu'il le prenne très mal…

Derrière le comptoir de la réception, Payton avait un sourire éclatant.

— Alors, tu as passé un bon week-end ?

L'estomac de Libby se noua.

— Comment sais-tu… ?

Elle vit le magazine ouvert sur le comptoir. Une photo les montrait, Alex et elle, en train de signer le registre à la réception de l'hôtel casino. Les jambes en coton, elle s'appuya au comptoir.

— C'est la seule photo ? demanda-t-elle d'une voix blanche.

— Dans ce magazine, oui. Mais il y en a un autre qui est paru vendredi.

Payton posa un deuxième magazine sur le comptoir et l'ouvrit sur une photo d'Alex en train d'embrasser une femme dont on ne distinguait pas le visage, devant l'entrée d'un immeuble.

— J'ai reconnu ton tailleur et l'entrée de ton immeuble, commenta Payton en se tortillant sur son siège.

Libby déglutit péniblement. C'était encore pire que tout ce qu'elle avait imaginé… Certes, il n'était pas possible de la reconnaître sur la photo du baiser. Mais celle prise sur la Gold Coast était sans équivoque…

Elle connaissait ce risque et elle avait décidé de le prendre. Résultat, elle se retrouvait dans une situation très délicate. Si mercredi, après avoir testé l'épaule d'Alex, elle lui donnait le feu vert pour le Grand Prix de Chine, qui voudrait croire qu'elle avait agi en toute impartialité ?

— Je ne prends aucun appel ce matin, déclara-t-elle en se dirigeant vers son bureau.

— Libby, s'il te plaît ! Raconte-moi… C'est tellement incroyable ! Je veux dire… Tu te rends compte ! Alex Wolfe ! Je parie qu'il embrasse comme un dieu. C'est génial qu'il soit tombé dingue de toi comme ça, non ?

Libby revint sur ses pas. Peut-être y avait-il d'autres photos qu'elle n'avait pas encore vues. Un grand froid l'envahit. Pourvu qu'ils n'aient pas été suivis jusqu'à la plage, samedi soir ! Au souvenir du tourbillon de passion dans lequel ils avaient terminé la soirée sur le divan sous la tente, elle crut défaillir.

— Je disais justement à ma copine Tawny que l'autre jour, quand il est venu ici, il te dévorait des yeux. Et comme tu n'es pas revenue après le déjeuner, je me suis doutée que…

— Payton.

Au comble de la confusion, Libby jeta un coup d'œil sur la porte d'entrée.

— Je ne veux pas que tu répandes des rumeurs de ce genre.

— Mais, Libby, *tout le monde* est au courant. On ne parle que de ça dans les journaux et sur internet. Quelle importance ? Si j'étais toi, je ne ferais pas attention à ce que raconte la presse.

Libby déglutit péniblement. Internet ? Elle gagna son bureau et s'affaissa dans son fauteuil. Autrefois, quand elle était championne du monde, elle adorait la publicité. Mais aujourd'hui… Des petits coups frappés à la fenêtre la firent pivoter sur elle-même. Et soudain, un flash l'aveugla. La main devant les yeux, elle tira précipitamment les stores.

Au même instant, Payton entra dans le bureau.

— Libby, il y a un journaliste dans l'entrée.

Un jeune homme arrivait derrière la jeune femme, brandissant un mini-magnétophone par-dessus son épaule.

— Vous voulez bien répondre à quelques questions, mademoiselle Henderson ? Le public a envie de savoir qui est la nouvelle petite amie d'Alex Wolfe.

Libby réprima un gémissement. Pas question de participer à ce cirque… Payton s'efforçait en vain de refouler le journaliste, visiblement prêt à tout pour obtenir un scoop.

— En tant qu'ex-championne du monde de surf, avez-vous un commentaire à propos de votre accident ? Alex Wolfe n'est pas… incommodé par votre prothèse ? Pensez-vous pouvoir rivaliser longtemps avec le genre de femmes qu'il fréquente d'ordinaire ?

Avec un cri d'indignation, Payton saisit le journaliste par le bras pour l'entraîner vers la sortie. La voix très calme de Libby l'arrêta.

— Vous voulez vraiment que je vous réponde ?

Le journaliste hocha la tête avec vigueur. S'appuyant à l'encadrement de la porte pour prendre son élan, Libby lui décocha un violent coup de pied dans le tibia. Tandis qu'il sautillait sur place en hurlant, elle ajouta sur le même ton posé :

— Voilà ma réponse.

Puis elle ferma la porte de son bureau et la verrouilla. Tout en écoutant Payton raccompagner fermement le journaliste à la sortie, elle s'efforça de refouler ses larmes. Ces gens-là n'avaient-ils donc aucune décence ? Comment avait-il osé suggérer qu'il était étrange qu'un homme comme Alex Wolfe puisse la trouver attirante ?

Son portable sonna. Elle le prit dans son sac et consulta l'écran. Alex.

— Tu es libre pour le déjeuner ? demanda-t-il sans préambule. Il y a un restaurant où j'aimerais t'emmener mais il n'est pas facile d'avoir une table. Il faut les appeler assez tôt.

— Tu es au courant pour les magazines, n'est-ce pas ?

Il y eut un long silence à l'autre bout de la ligne, puis un profond soupir.

— Oui.

— En réalité, c'est pour ça que tu m'appelles. Pour savoir si je suis au courant aussi.

— Je suis désolé, Libby.

— Tu n'y es pour rien. Ça devait arriver.

— Tu ne trouves pas ça trop pénible ?

Le cœur de Libby se serra. Pas question de répéter ce que lui avait dit cet homme odieux. Mais de toute façon, les journalistes ne se gêneraient pas pour poser à Alex le même genre de questions. « Qu'est-ce qui vous attire chez une estropiée comme Libby Henderson ? »

— Libby ?

— Ne t'inquiète pas. Ça va.

Prenant une profonde inspiration, elle tenta de se persuader que ce qu'elle venait de dire était vrai. Elle avait traversé des moments plus difficiles. Elle survivrait.

— Je serai chez toi à 9 heures pour notre séance mais je ne peux pas déjeuner avec toi.

— Tu ne peux pas ou tu ne veux pas ?

— Alex, nous avons des journées cruciales devant nous. Concentrons-nous là-dessus.

— Tu es sûre que ça va ?

— Oui.

Du moins elle ferait comme si… Mon Dieu, comme elle avait hâte que la journée de mercredi ne soit plus qu'un souvenir !

*
* *

Plus tard dans la matinée, en arrivant chez Alex pour la séance, Libby lui expliqua qu'elle préférait attendre d'avoir établi son rapport sur son épaule pour sortir de nouveau avec lui. Ils ne firent pas allusion aux photos et Alex ne lui dit pas si des journalistes avaient tenté de l'interviewer.

Le mercredi matin, Libby procéda aux tests permettant d'évaluer l'état de son épaule. Elle guetta attentivement le moindre signe de faiblesse ou de douleur, mais n'en perçut aucun. Bien sûr, le médecin de l'écurie effectuerait sa propre évaluation, mais il n'y avait aucune raison pour qu'il ne parvienne pas à la même conclusion. Alex allait donc bien participer au Grand Prix de Chine, finalement. Avec un peu de chance, il ferait des étincelles. Et de son côté, elle n'aurait rien à craindre pour sa réputation.

Il fallait espérer qu'ils continueraient à se voir… ce qui impliquerait la fin de sa tranquillité. La perspective d'être harcelée par les paparazzi lui était insupportable, mais c'était un prix qu'elle était prête à payer.

— Alors, docteur, quel est le verdict ? demanda Alex en remettant sa chemise.

— Compte tenu de ce que j'ai vu aujourd'hui et des progrès que tu as réalisés…

Alex arrêta de boutonner sa chemise.

— C'est un feu vert ou un feu rouge ?

Elle sourit.

— Vert. De mon point de vue, ton épaule est assez solide pour supporter le retour à la compétition.

Ravi, Alex donna un coup de poing dans le vide, en veillant toutefois à se servir de son bras gauche. Puis il prit Libby dans ses bras et l'embrassa avec une passion mêlée de tendresse qui affola son cœur. A la fin de leur baiser, il plongea son regard dans le sien et se mit à rire avec une joie contagieuse. Tout allait bien se passer, songea-t-elle en riant avec lui. Il ne restait plus qu'à attendre qu'il gagne cette course à Shanghai, puis qu'il l'appelle pour décider d'une date et d'un lieu où ils célébreraient sa victoire.

Les gens considéraient peut-être qu'elle n'était pas à la hauteur d'Alex, mais pour sa part, elle savait qu'il ne se servirait jamais d'elle pour obtenir ce qu'il voulait. Pas après tout ce qu'ils avaient partagé.

Alex prit son portable sur une table.

— Il faut que j'appelle le directeur de l'écurie. Le pilote suppléant doit être prévenu et il y a des documents à signer.

— Bien sûr, je vais m'en aller, de toute façon.

Le portable à la main, Alex plissa les yeux.

— Tu ne dois pas rédiger un certificat ? Signer quelque chose ?

— Je m'en occuperai dès mon retour à mon cabinet. Tout sera prêt en fin de matinée. Ton assistant pourra récupérer les documents quand il voudra.

Alex lui sourit, une lueur étrange dans les yeux. Il la regardait mais il ne la voyait pas vraiment, comprit-elle. En pensée, il était déjà à Shanghai. Il imaginait la joie de reprendre le volant, les acclamations de la foule, l'excitation du départ. Le plaisir inouï de pouvoir vivre de nouveau sa passion.

Bien sûr, il devrait continuer les étirements et les exercices de raffermissement. Non seulement dans l'immédiat mais jusqu'à la fin de sa vie. Et il aurait intérêt à effectuer des bilans réguliers pour éviter tout nouveau problème. Mais pas forcément avec elle, puisqu'il ne résidait pas en permanence à Sydney…

Libby se mordit la lèvre. Combien de temps passait-il en Australie, chaque année ? Au même instant, Alex reposa son portable et la rejoignit. Il referma les mains sur ses bras.

— Nous célébrerons cette bonne nouvelle la semaine prochaine. D'ici là… Est-ce qu'il te serait possible de prendre l'avion, cet après-midi ?

Elle écarquilla les yeux. L'avion ?

— Pour… la Chine ?

— Oui. Les essais commencent demain.

Il voulait qu'elle l'accompagne en Chine ?

— Mais je… je ne peux pas ! J'ai des rendez-vous.

Alex pinça les lèvres.

— Il est inutile d'essayer de te faire changer d'avis, je

suppose. Mais je peux être de retour mardi. Nous nous verrons à ce moment-là.

Elle hocha la tête et l'embrassa furtivement.

— D'accord. Je te laisse.

— Je te raccompagne.

— Non, c'est inutile.

Mais Alex était déjà passé devant elle. Sans lui prendre la main ni passer un bras autour de sa taille, comme il le faisait jusque-là… Il avait visiblement l'esprit ailleurs. A des milliers de kilomètres. C'était compréhensible. Avant un championnat, la préparation mentale était essentielle et demandait une intense concentration.

Il s'immobilisa sur le seuil de la villa. Pouvait-elle l'embrasser de nouveau ? Déstabilisée, elle se contenta de murmurer :

— Bonne chance.

Puis elle s'éloigna.

Elle s'apprêtait à descendre les marches de la terrasse lorsqu'une main se referma sur son bras. Elle se retourna.

— Un dernier baiser et je te laisse partir.

Alors qu'Alex la prenait dans ses bras, les photos des magazines s'imposèrent à l'esprit de Libby. Elle se remémora les questions mortifiantes du journaliste. Elle s'écarta vivement d'Alex.

— Non, il ne vaut mieux pas. Il y a peut-être des objectifs braqués sur nous.

— Mais non, voyons…

Il fit un pas vers elle. Elle recula instinctivement, mit le pied dans le vide et bascula en arrière. Levant les bras dans une vaine tentative pour retrouver l'équilibre, elle anticipait déjà le choc quand elle se sentit fermement agrippée par la taille, ramenée à la verticale et reposée sur ses pieds.

Le cœur battant à tout rompre, elle s'efforçait de reprendre ses esprits, lorsqu'elle vit Alex lâcher en grimaçant la colonne autour de laquelle il avait passé le bras droit pour se retenir. Il porta la main gauche à son épaule, les traits crispés par la douleur. Dès qu'il surprit son regard sur lui, il retira sa main et s'efforça d'afficher un visage plus serein.

— Oh, mon Dieu, Alex, tu t'es fait mal !

Elle s'approcha de lui et tendit la main pour toucher l'articulation. Il s'écarta avec un sourire contraint.

— Ça va.

— S'il te plaît, Alex, laisse-moi voir.

Il lui saisit le poignet.

— Tu rentrais à ton cabinet pour rédiger un certificat.

— Tu as très mal ?

— Pas le moindre petit tiraillement.

Elle scruta son visage.

— Je suis désolée… mais je ne te crois pas.

La mâchoire d'Alex se crispa et ses yeux lancèrent des étincelles.

— Tu veux une preuve ?

Il ferma le poing droit, leva le bras et le baissa aussitôt.

Le cœur de Libby se serra. Pas de doute, il y avait un problème…

— Il faut repasser une IRM.

— Ah non ! Les tests, ça suffit ! Je suis en état de conduire !

— Je suis navrée, Alex, vraiment navrée… mais il faut régler ce problème. Nous allons le résoudre, d'accord ? Il faut juste un peu de patience. Combien de temps après le Grand Prix de Chine a lieu la course suivante ? Deux semaines ? C'est ça ? En concentrant tous nos efforts sur…

— Si tu permets, pour l'instant j'ai un coup de téléphone à donner, coupa Alex d'un ton cinglant.

Pivotant sur lui-même, il rentra dans la villa et claqua la porte derrière lui.

A 13 heures, Payton conduisit Eli Steele dans le bureau de Libby.

C'était un homme grand et séduisant. Très courtois, se souvint Libby. Et entièrement dévoué à Alex… Ce dernier lui avait-il déjà claqué la porte au nez comme il l'avait fait ce matin avec elle ? Elle n'oublierait pas cet épisode de sitôt…

Après l'avoir saluée, Eli lui tendit une enveloppe scellée.

— De la part d'Alex.

Libby décacheta l'enveloppe avec des doigts tremblants et parcourut les quelques lignes manuscrites.

Libby,

Merci pour tous tes efforts. Après concertation entre le directeur d'écurie, le médecin et moi-même, il a été décidé qu'une approche différente serait sans doute bénéfique à ma situation. Je te remercie pour ton dévouement et ton professionnalisme. Je reprendrai contact avec toi à la fin de la saison.

Sincèrement, Alex Wolfe

Libby resta un instant pétrifiée. Elle avait l'impression qu'une bombe venait de lui exploser à la figure…

— Il est… déçu, expliqua Eli d'un air embarrassé.

Alex, déçu ?

Elle s'assit dans son fauteuil.

— Moi aussi.

Dire qu'il laissait son assistant faire le sale boulot ! Mais ce n'était sans doute pas la première fois…

— Il faut le comprendre… La course, c'est toute sa vie. Il ne serait pas champion du monde s'il n'y consacrait pas toute son énergie.

Comment avait-il osé lui écrire un mot aussi bref et aussi impersonnel ? Libby chiffonna la feuille.

S'efforçant de surmonter sa souffrance et son incrédulité, elle déclara d'un ton posé :

— Je comprends…

Eli fixa un moment ses chaussures en silence.

— Bonne chance, Libby, finit-il par dire avant de sortir.

Quelques secondes plus tard, Payton entra dans le bureau et ferma doucement la porte derrière elle.

— Tu as envie d'en parler ?

— J'ai été stupide, reconnut Libby, le cœur serré. J'ai enfreint une règle que je m'étais juré de respecter en toute circonstance. J'ai eu une liaison avec un patient. Et pas n'importe lequel…

Cependant, les regrets ne servaient à rien.

En revanche…

Elle n'avait jamais dit à Scott ce qu'elle pensait de son attitude. Aujourd'hui, elle se sentait beaucoup moins magnanime.

Elle mourait d'envie de donner une leçon à ce mufle d'Alex Wolfe.

12.

Deux semaines plus tard, sur le circuit de Barcelone, Alex regardait les mécaniciens s'affairer autour de sa voiture, qu'ils soumettaient à la batterie de tests habituelle.

D'ordinaire, il prenait un immense plaisir à s'imprégner de l'atmosphère fébrile qui régnait dans les stands, les jours précédant une course. Le cliquetis des outils, le grondement des moteurs, les conversations animées, les odeurs d'essence et de caoutchouc chauffé, tout cela participait à l'euphorie qui montait peu à peu en lui jusqu'au signal du départ.

Aujourd'hui, tout cela le laissait étrangement froid. Mais peu importait. Il allait courir *et* gagner. Aucun élément extérieur ne risquait de le déconcentrer comme lors du Grand Prix d'Australie, six semaines plus tôt ; il avait eu l'occasion de renouer avec Jacob au téléphone, et les dernières nouvelles envoyées par Annabelle n'avaient rien de déstabilisant. Nathaniel nageait dans le bonheur et les photos du mariage étaient très réussies.

Annabelle…

Alex plissa le front. Libby lui avait demandé s'il avait discuté avec sa sœur de ce qui s'était passé autrefois, lors de cette nuit tragique. Pendant vingt ans, il avait refoulé tant bien que mal ses souvenirs et ses remords. Mais depuis quelques semaines, il n'y parvenait plus. Il s'en voulait de plus en plus de ne jamais avoir eu le courage de regarder Annabelle en face depuis le drame. Parce que, au fond de lui-même, il savait qu'en éludant le problème, il aggravait sa souffrance…

Le regard d'Alex fut attiré par la vidéo que regardait le directeur d'écurie sur le moniteur du stand. Il était bien placé pour reconnaître la piste, la voiture… Comment aurait-il pu les oublier ? Un frisson le parcourut. D'accord, il était indispensable de disséquer encore et encore ces images pour éviter que ce genre d'accident ne se reproduise. Mais pour sa part, il ne supportait plus de les voir…

Alors qu'il pivotait sur lui-même, un élancement dans l'épaule le fit tressaillir. Il jeta un regard furtif autour de lui. Personne ne l'avait remarqué. Il posa la main sur l'articulation et sentit de nouveau une légère douleur. Au cours des deux dernières semaines, il avait récupéré une grande partie de sa mobilité. Malgré tout, de temps en temps…

Morrissey était satisfait du rapport établi par le kinésithérapeute qu'il avait engagé pour remplacer Libby. Après avoir effectué sa propre évaluation, le médecin lui avait donné le feu vert pour le Grand Prix d'Espagne. Toutefois, Jerry Squires avait eu un commentaire cinglant : « Si ton épaule ne tient pas le coup à cause de cette femme, je l'attaquerai en justice pour faute professionnelle. »

Or, même si leur relation s'était terminée de façon abrupte, il ne tolérerait pas que Libby ait des problèmes à cause de lui. Nul doute qu'il l'avait déjà fait cruellement souffrir avec ce mot d'adieu. Elle devait le haïr…

S'efforçant de chasser Libby de son esprit, Alex se dirigea vers la ligne des stands, où, quelques jours avant une course importante, il était d'usage d'autoriser certains spectateurs à venir saluer leur pilote favori. Il promena son regard sur les groupes qui déambulaient. Son attention fut attirée par un garçon de douze ou treize ans qui arborait un T-shirt portant le logo de son écurie. Il se dirigea vers lui. Lorsque le gamin le reconnut, son visage s'éclaira d'un sourire radieux qui lui fit chaud au cœur.

— Tu aimes la course automobile ? demanda-t-il.

— Oh, oui ! Beaucoup ! s'exclama le garçon.

— Comment tu t'appelles ?

— Carlos Diaz.

— Quand tu seras grand, tu veux être pilote ?

Les yeux noirs de Carlos étincelèrent.

— Je veux être comme vous. Courageux. Habile. Le meilleur, *señor* !

La mère de Carlos caressa la tête de son fils et expliqua :

— *El chico,* il n'a pas de père, mais il a ses rêves.

— Poursuivre ses rêves, c'est ce qui nous garde en vie, murmura Alex.

Carlos le regarda avec des étoiles dans les yeux.

Songeur, Alex sortit de sa poche sa médaille fétiche, le talisman que Carter lui avait offert. Il la contempla longuement. Il avait prévu de ne jamais s'en séparer. De la conserver précieusement jusqu'à sa mort. Cette médaille symbolisait un tournant de sa vie. Un nouveau commencement. L'accomplissement de ses rêves.

Mais peut-être qu'aujourd'hui, après tout ce temps…

Son estomac se noua et ses doigts se refermèrent instinctivement sur le talisman. Non, il ne pourrait jamais… Mais soudain, un sentiment étrange s'empara de lui. Un grand calme l'envahit et un sourire apparut sur ses lèvres. Il tendit la main vers Carlos.

— Cette médaille ne paie peut-être pas de mine, mais pour moi, elle a accompli des miracles. Elle représente l'espoir, la détermination et la foi. Il faut avoir foi en soi et tout faire pour atteindre ses objectifs.

Il tendit la médaille au gamin.

— Elle est pour toi, Carlos.

Carlos ouvrit des yeux ronds, puis un flot enthousiaste d'espagnol jaillit de sa bouche. Les larmes aux yeux, sa mère remercia Alex avec effusion. Emu, ce dernier pressa l'épaule du garçon et lui ébouriffa les cheveux.

— Je vais demander à mon assistant de venir prendre tes coordonnées. On va organiser ta formation. Si tu aimes vraiment les voitures, si tu apprends à les respecter, et si tu es prêt à travailler dur, tu réussiras.

— *Gracias, gracias, señor* Wolfe.

Alex s'éloigna. D'abord, trouver Eli pour qu'il s'occupe du gamin. Ensuite, annoncer au directeur d'écurie qu'il avait décidé de faire une pause… Un immense soulagement le submergea. Inutile de continuer à se raconter des histoires. Il n'était pas vraiment en possession de tous ses moyens. Un jour peut-être, son épaule retrouverait toute sa solidité. Peut-être. Il verrait bien.

Il était désormais capable de regarder la réalité en face, même si elle n'était pas très agréable. Et cela, il le devait à Libby Henderson. Après ses débuts chaotiques dans l'existence, il avait vécu de longues années de bonheur total à assouvir sa passion et à réaliser ses rêves. Aujourd'hui, il était temps de passer à autre chose. Une autre passion. D'autres rêves.

Restait un point d'interrogation.

Après ce qu'il lui avait infligé, Libby Henderson accepterait-elle un jour de lui pardonner ?

13.

Quand son portable sonna, Libby le prit distraitement. Elle s'apprêtait à répondre lorsqu'elle reconnut le nom de son correspondant. Aussitôt, elle lâcha l'appareil.

Elle n'avait pas de rendez-vous ce matin et avait prévenu Payton qu'elle arriverait en début d'après-midi. Elle avait du retard dans sa comptabilité et elle avait décidé de travailler en dehors du bureau.

Munie de son ordinateur portable, elle s'était d'abord promenée un moment, puis elle s'était installée à la terrasse du café où elle avait pris le petit déjeuner avec Alex, quelques semaines plus tôt. Après avoir commandé des pancakes, elle s'était efforcée de se concentrer sur les chiffres. Elle avait perdu beaucoup trop de temps à se poser des questions oiseuses au sujet d'Alex Wolfe…

Deux semaines après leur retour, le week-end qu'elle avait passé avec lui semblait irréel. Si elle n'avait pas gardé les photos parues dans les magazines et le coquillage rempli de perles, elle aurait pu croire qu'elle avait rêvé. D'autant plus que l'intérêt des paparazzi s'était éteint aussi rapidement qu'il était né. Alors, pourquoi Alex l'appelait-il aujourd'hui ? Que pouvait-il bien attendre d'elle ? De toute façon, après la muflerie dont il avait fait preuve, elle ne voulait plus rien avoir à faire avec lui.

Après l'arrêt de la sonnerie, elle attendit quelques instants avant d'écouter le message. Au son de sa voix profonde, elle fut parcourue de longs frissons. Il voulait qu'elle aille le voir chez lui. Il s'y trouvait et il l'attendait. Si elle le souhaitait, il pouvait lui envoyer une voiture. Il ajoutait qu'il était désolé d'avoir pris congé de manière aussi abrupte la fois précédente.

Il était désolé ?

C'était la moindre des choses !

Mais que faisait-il à Sydney ? Aujourd'hui vendredi, c'était la première phase des séances de qualifications du Grand Prix d'Espagne. Tous les journalistes sportifs annonçaient le retour d'Alex Wolfe dans la compétition et prédisaient qu'il décrocherait la pole position ce samedi sur le circuit de Barcelone.

Libby tergiversa pendant dix minutes avant de se décider à quitter le café et à prendre sa voiture pour Rose Bay. Elle aussi elle voulait le voir… Elle avait plusieurs choses à lui dire. S'il était à Sydney, c'était sûrement parce qu'il avait de nouveaux problèmes d'épaule et qu'il avait décidé de refaire appel aux services de sa première kiné.

S'imaginait-il vraiment qu'elle allait accepter ?

Une fois arrivée à Rose Bay, Libby monta les marches, traversa la terrasse et sonna à la porte. Lorsque celle-ci s'ouvrit, son cœur fit un bond dans sa poitrine. Dire qu'elle croyait s'être suffisamment préparée à cette rencontre ! Alex était plus irrésistible que jamais… Crispant les poings, elle prit une profonde inspiration. Pas question de se laisser distraire par ce genre de détail. Si elle était là, c'était pour régler ses comptes.

— Comment vas-tu ? demanda-t-elle d'un ton neutre.

— Bien. Très bien, même.

Il s'effaça pour la laisser passer.

— Entre, je t'en prie.

— Ne devrais-tu pas être à Barcelone ?

Avant qu'elle ait le temps de lui préciser que s'il avait un problème à l'épaule, il ne fallait pas compter sur elle pour s'en occuper, Alex expliqua à Libby qu'il avait décidé de renoncer à la compétition pendant une période indéterminée.

Lorsqu'il lui raconta qu'il avait donné son talisman à un jeune garçon qu'il avait rencontré sur la ligne des stands du circuit de Barcelone, elle fut abasourdie.

— Tu as donné la médaille que Carter t'avait offerte ?
— Il était temps ?
— Temps de quoi ?
— D'accepter le passé et de construire l'avenir.
Il expliqua que ce garçon, Carlos, n'avait pas de père. Il avait décidé de le parrainer et de financer à la fois son éducation et sa passion pour l'automobile. Et puisqu'il était en congé sabbatique, il allait en profiter pour tenter de repérer d'autres jeunes talents qui avaient besoin d'aide. Lorsqu'il lui prit la main, Libby était si interloquée par toutes ces nouvelles qu'elle n'eut pas la présence d'esprit de la lui retirer.
— Je suis revenu parce que tu m'as manqué, Libby.
Il scruta son visage.
— J'espérais que c'était réciproque.
Les yeux gris exprimaient une émotion manifeste. Du désir aussi… Mais s'imaginait-il vraiment qu'elle allait lui tomber dans les bras après la façon dont il l'avait traitée ? Comment osait-il lui dire qu'elle lui avait manqué ?
— Tu ne parles pas du mot que tu m'as fait parvenir par l'intermédiaire d'Eli, déclara-t-elle en s'efforçant de garder un ton posé.
Il eut une moue contrite.
— Comme je te l'ai dit au téléphone, je regrette d'avoir agi aussi brutalement. Mais j'avais besoin de concentrer toute mon énergie sur la compétition.
— Pour y renoncer quelques semaines plus tard ?
Les yeux brillant d'un éclat dangereux, Alex se rapprocha de Libby.
— Tu ne comprends pas ce que je suis en train de t'expliquer ? Tu ne devines pas pourquoi je suis ici ?
— Ce n'est pas pour que je soigne ton épaule ? ironisa-t-elle.
— Bien sûr que non !
— Alors, peut-être que tu as envie de coucher avec moi encore une fois ou deux.
— Ne réduis pas tout à ça !
— Tu m'as claqué la porte au nez, rappela Libby, la

gorge nouée. Tu m'as renvoyée comme une malpropre et tu t'imagines que je vais de sauter au cou ?

— J'ai reconnu que j'avais eu tort. Je t'ai présenté mes excuses.

Elle le foudroya du regard et pivota sur elle-même pour s'en aller. Excuses rejetées.

Il lui saisit le poignet.

— Tu n'as pas envie de t'en aller.

— Tu ignores ce…

Avant qu'elle ait le temps de finir sa phrase, Alex attira Libby contre lui et s'empara de sa bouche. Toutes ces nuits et toutes ces journées à vivre comme un zombie, rongée par le manque et le désespoir… Elle croyait ne plus jamais le revoir et voilà qu'il était là, qu'il la serrait contre lui, qu'il l'embrassait…

Mais elle ne voulait pas qu'il l'embrasse ! Elle ne voulait pas rester dans ses bras ! Elle voulait s'en aller…

Le baiser s'approfondit et le feu qui courait dans les veines de Libby s'intensifia. Ses bras se nouèrent d'eux-mêmes autour du cou d'Alex, tandis qu'elle lui répondait avec fièvre. Si c'était un rêve, elle ne voulait plus jamais se réveiller…

Une éternité plus tard, le baiser prit fin. Contre les lèvres de Libby, Alex murmura un seul mot :

— Reste.

Elle baissa la tête, le cœur serré. Malgré tout ce qu'elle savait, elle mourait d'envie d'accepter… Mais il ne fallait pas. Surtout pas. D'ailleurs, elle n'aurait pas dû venir…

— Non.

Il écarta les cheveux de son visage et lui prit le menton pour lui faire relever la tête. Ses lèvres effleurèrent de nouveau les siennes et elle oublia instantanément toutes les raisons qu'elle avait de le fuir. Plus rien n'existait que le bonheur grisant des retrouvailles. Elle lui avait manqué ? Elle soupira contre ses lèvres. S'il savait à quel point c'était réciproque…

Tout en l'embrassant avec une ardeur redoublée, elle commença de déboutonner sa chemise. Quelques instants plus tard, ils étaient dans la chambre, nus entre les draps.

Tandis qu'Alex couvrait chaque parcelle de son corps de caresses et de baisers fiévreux, Libby se dit qu'elle avait bien fait. Oui, elle avait bien fait de succomber une dernière fois. Elle aurait besoin de ces souvenirs quand la réalité aurait repris ses droits…

Il entra en elle d'un seul mouvement puissant et l'entraîna dans une valse sensuelle, d'abord très lente. Le rythme nonchalant de leurs deux corps confondus s'accéléra peu à peu. Les doigts crispés sur le dos d'Alex, elle était parcourue d'ondes annonciatrices d'un plaisir dévastateur. Le visage enfoui dans ses cheveux, il murmura son prénom et un ultime coup de reins les fit basculer en même temps dans le gouffre de la volupté.

Un moment plus tard, alors qu'elle était encore parcourue de frissons, il parsema son front de baisers et lui murmura à l'oreille des mots tendres. Lorsqu'il finit par rouler sur le côté, elle s'assit au bord du lit et ramassa son soutien-gorge et sa culotte par terre.

Il se redressa sur un coude.

— Ne t'habille pas… Si tu as des rendez-vous, annule-les, pour une fois.

— Je n'ai pas de rendez-vous, répliqua-t-elle en agrafant son soutien-gorge.

Il se pencha vers elle et promena ses doigts dans son dos.

— Alors reviens te coucher. Je veux te garder dans mes bras.

Elle déglutit péniblement. C'était si tentant ! Mais hors de question. Il fallait qu'il le sache. Après ce qu'ils venaient de partager, elle n'avait aucune envie de se quereller avec lui. Toutefois, il fallait être claire. Se tournant vers lui, elle plongea son regard dans le sien.

— Alex, c'était la dernière fois.

Le front plissé, il se redressa.

— De quoi parles-tu ?

— Je suis bien avec toi, c'est vrai. Merveilleusement bien. Mais ça ne suffit pas à me faire oublier la façon dont tu m'as traitée.

— Libby, voyons ! J'ai tout laissé tomber et je suis revenu. Pour toi !

Comment le croire ? Et même si c'était vrai…

— Tu n'aurais jamais dû me traiter avec un tel cynisme.

— Je me suis excusé, bon sang ! Je t'ai expliqué que j'avais besoin de concentrer toute mon énergie sur la compétition. Qu'attends-tu de moi ?

Libby le considéra avec exaspération, puis elle enfila son pantalon. Il n'était pas stupide. S'il ne devinait pas ce qu'elle attendait — ce que n'importe quelle femme dans sa position attendrait — ce n'était pas elle qui allait le lui dire !

Elle mit ses chaussures et se leva.

— Je n'attends rien de toi.

Alex bondit hors du lit. Avant qu'elle ait le temps de réagir, il la saisit par les bras.

— Ne me dis pas que tu regrettes ce qui vient de se passer et que tu as vraiment envie de t'en aller.

Elle soupira.

— Tu as raison. J'ai envie de rester.

Mais elle ne pouvait pas oublier la brutalité avec laquelle il l'avait renvoyée, deux semaines plus tôt. Elle avait trop souffert. Refoulant ses larmes, elle ajouta d'une voix tremblante :

— J'ai envie de rester, mais je ne veux plus souffrir.

Les doigts d'Alex se resserrèrent sur ses bras et elle retint son souffle. Qu'allait-il faire ? La jeter dehors encore plus brutalement ? Avant qu'elle ait le temps d'envisager d'autres hypothèses, il s'empara de sa bouche avec passion. L'esprit soudain vide, elle ne put que s'abandonner à ce baiser dévastateur. Lorsque Alex finit par s'arracher à ses lèvres, la pièce tournoyait autour d'elle. Elle sentit ses mains remonter le long de ses bras et se refermer sur ses épaules. Plongeant son regard dans le sien, il demanda :

— Tu as toujours l'impression que je veux te faire souffrir ?

— Tu n'as pas besoin de le vouloir pour y parvenir.

Les yeux gris jetèrent des étincelles.

— Je ne te laisserai pas me quitter.

— Non, bien sûr. Tu préfères me garder à portée de main

jusqu'au moment où tu seras prêt à te consacrer de nouveau à ce qui compte le plus pour toi.

Sa seule véritable passion. La course.

Alex lâcha Libby et se prit la tête à deux mains.

— Pourquoi faut-il que tu compliques tout ?

— Tu préférerais que je ne fasse pas de vagues, comme Annabelle ?

— Laisse Annabelle en dehors de ça, intima Alex d'un ton dangereusement posé. Tu ne sais rien d'elle.

— Toi non plus et c'est plus grave.

Il n'avait jamais eu le courage de parler avec sa sœur et celle-ci ne s'en était jamais plainte, apparemment…

La gorge nouée, Libby prit une profonde inspiration. Elle, elle n'était pas comme Annabelle. Elle ne se tairait pas.

— Tu utilises les gens, Alex. Tu as utilisé Carter White. Tu utilises Eli Steele. Tu utilises tes fans, ton équipe et ton argent pour mettre un écran entre toi et ton passé. Tu as décidé de m'utiliser…

— Ce n'est pas vrai !

Alex baissa les yeux et ajouta avec une mine contrite :

— Au début, oui, je le reconnais. Mais ensuite, quand j'ai commencé à te connaître, non. Plus du tout…

Le cœur de Libby se serra douloureusement. Comment le croire ? Elle n'avait plus rien à faire ici. Tout était fini entre eux et c'était beaucoup mieux ainsi.

Elle quitta la chambre, puis la villa.

14.

— Je savais que je te trouverais ici. Laquelle tu comptes prendre, aujourd'hui ?

Au son de la voix d'Elli, Alex baissa la fléchette qu'il s'apprêtait à lancer sur la cible et se tourna vers son ami, qui le rejoignait au fond du garage.

Depuis le départ de Libby, quelques heures plus tôt, il était complètement désorienté. Il lança la fléchette et la planta à deux centimètres du centre de la cible. Pas mal pour un tir de la main gauche… Il récupéra les fléchettes et les tendit à Eli.

— Je n'ai pas envie de conduire. Tu veux jouer ?

Eli se frotta l'oreille.

— Je vais plutôt courir m'acheter une prothèse auditive. Apparemment, je n'entends plus très bien. Tu as vraiment dit que tu n'avais pas envie de conduire ? Que se passe-t-il ? Ton problème à l'épaule s'est aggravé ? Je croyais que tu étais en état de conduire sur route.

Alex haussa les épaules, se percha sur un tabouret et fit tourner les fléchettes entre ses doigts. Ce que lui avait dit Libby à propos d'Annabelle, de Carter et d'Eli… Il ne pensait plus qu'à ça.

— Est-ce que tu as déjà été obsédé par une femme ?

— Pardon ?

— Elle m'obsède. J'en ai assez. Je veux qu'elle disparaisse…

Alex lança les trois fléchettes d'un seul coup.

— … de mes pensées.

Eli se percha à son tour sur un tabouret.

— De ton cœur, tu veux dire.

Alex se leva pour récupérer les fléchettes.

— Tu n'as pas l'intention de jouer les psy, j'espère ?

— Qu'est-ce qui te fait peur chez Libby ?

— Pourquoi aurais-je peur ?

— Disons que tu es mort de trouille, si tu préfères.

Alex récupéra les fléchettes.

— C'est juste que je connais mes limites.

Il ne s'était jamais senti aussi bien avec une femme. Il n'imaginait pas pouvoir retrouver un jour la même complicité. Cependant, il ne pouvait rien promettre et Libby l'avait compris. Le seul domaine dans lequel il était capable de prendre des engagements, c'était la course automobile.

— Elle attend de moi quelque chose dont je suis incapable.

— Que tu t'engages. Que tu l'épouses, peut-être.

Alex resta silencieux. Oui, c'était ce qu'elle voulait. Et comme par magie, la porte claquée et le mot d'adieu seraient oubliés ! Ça le dépassait…

Eli descendit de son tabouret et croisa les bras.

— O.K. Tu n'as pas envie de conduire. Et tu n'as pas envie de discuter non plus, apparemment. Mais lui as-tu dit que tu comprenais ce qu'elle ressentait ?

— Je le lui ai montré.

— As-tu exprimé des regrets ? Je sais que pour nous les hommes, ce n'est pas toujours très facile…

Alex était sur le point de répondre que oui, il avait présenté ses excuses à Libby, lorsqu'une image le ramena quelques semaines en arrière. Libby assise à côté de lui dans la voiture de sport quand il avait fait de la vitesse sur la piste privée chez son ami, sur la Gold Coast. Cette expérience avait été grisante. Elle l'avait même bouleversé. Il n'avait jamais partagé un moment aussi magique avec personne.

Serait-il possible que… ? Etait-il amoureux ? Aimait-il Libby Henderson ? Etait-elle la femme de sa vie ? Celle avec qui il serait capable de tourner définitivement le dos à son enfance chaotique pour se marier et fonder une famille ?

Une autre image s'imposa à lui. Annabelle… Tous les

souvenirs qu'il tentait désespérément d'effacer de sa mémoire depuis des années l'assaillirent de nouveau. A l'époque du drame, Annabelle ne rêvait que d'une chose. Faire partie de sa « bande ». Mais au lieu de la prendre sous son aile, il préférait la tenir à l'écart. Ce soir-là, il l'avait renvoyée à Wolfe Manor. Il lui avait en quelque sorte claqué la porte au nez, à elle aussi. Pour pouvoir s'amuser tranquillement avec ses copains.

Il n'était rentré que le lendemain matin à Wolfe Manor, avec la Sedan bleue cabossée dont il ne s'était toujours pas séparé aujourd'hui. Il avait appris ce qui s'était passé la veille. Et il s'était senti coupable. Si coupable… S'il avait accepté qu'elle passe la soirée avec lui et ses copains, Annabelle n'aurait pas été battue jusqu'au sang. Jacob n'aurait pas eu sur la conscience la mort de leur père, qui l'avait écrasé de culpabilité malgré le non-lieu dont il avait bénéficié. Jacob avait défendu Annabelle. Alors que lui, il n'avait même pas eu le courage de lui dire par la suite qu'il regrettait de l'avoir abandonnée.

Ils avaient tous leurs blessures. Mais était-il trop tard pour en parler ? Etait-il trop tard pour envisager de vivre autrement ?

— Est-il trop tard ? marmonna Alex sans en avoir conscience.

— Je ne pense pas, répliqua Eli. Mais n'attends pas trop longtemps, mon vieux. Pour toi comme pour elle.

Après le départ de son ami, Alex se rendit dans son bureau, s'installa devant son ordinateur et ouvrit sa messagerie. Il cliqua sur l'adresse d'Annabelle, mais son regard se posa sur le téléphone. Sa sœur était devenue si réservée aujourd'hui… Elle préférait communiquer par courriel. Mais cette fois, il avait besoin d'entendre sa voix. Et il fallait qu'elle entende la sienne.

Il composa son numéro, puis il raccrocha aussitôt, l'estomac noué. Après un si long silence, était-ce une bonne idée ? Pouvait-il revenir sur l'épisode le plus dramatique de leur existence ? Comment être certain que cette initiative ne causerait pas plus de mal que de bien ? Et si elle lui confirmait ce qu'il craignait le plus ? Qu'elle ne lui avait pas pardonné de l'avoir rejetée. De l'avoir laissée tomber…

Comme il avait laissé tomber Libby.

Alex renversa la tête en arrière en jurant. Ces dernières semaines, il était de plus en plus tourmenté par le passé. Aujourd'hui, il avait l'impression de se noyer. Le poids de la culpabilité était si énorme qu'il l'empêchait de respirer. Même si Annabelle réagissait mal, il fallait qu'il se libère de ce qu'il avait sur le cœur. Il n'avait jamais eu l'intention de la faire souffrir.

Et Libby… ?

Crispant la mâchoire, il reprit le téléphone, composa de nouveau le numéro d'Annabelle et attendit. Allait-elle décrocher ?

Six sonneries. Sept… Un déclic…

— Alex ? C'est toi ?

— Annabelle. Je suis heureux de t'entendre.

— Tu sais quelle heure il est ? Que se passe-t-il ?

Il jeta un coup d'œil à sa montre et réprima un juron. Il n'avait pas pensé au décalage horaire ! Il avait dû la réveiller… Il ferait peut-être mieux de rappeler plus tard.

— Alex ? Ça va ?

Elle était visiblement inquiète. S'il raccrochait, elle allait passer le reste de la nuit à se demander ce qui se passait. Impossible de reculer. Il n'avait plus le choix.

Il s'éclaircit la voix et se leva.

— J'ai quelque chose à te dire. Je préférerais te le dire face à face, mais ça ne peut pas attendre.

Cela attendait déjà depuis trop longtemps…

— Annabelle, je suis désolé de t'avoir renvoyée à la maison, ce soir-là.

Après un long silence, Annabelle demanda d'une voix mal assurée :

— De quoi parles-tu ?

— De cette nuit…

La nuit dont personne ne parlait jamais.

— Je regrette d'avoir été aussi nul et de t'avoir chassée de cette fête au lieu de veiller sur toi. Je suis désolé…

La gorge nouée, Alex déglutit péniblement avant de poursuivre :

— Je suis désolé de ne pas avoir su te réconforter par la suite. Je… Je me sentais coupable… Je ne savais pas quoi dire. Ni comment le dire.

Un nouveau silence le mit au supplice. Il n'aurait pas dû appeler. Comme lui, Annabelle s'était fabriqué une carapace. Il n'avait pas le droit d'essayer de la percer après tout ce temps. Il aurait dû laisser tout ça enfoui…

— Pendant toutes ces années, j'ai cru que tu m'en voulais d'avoir causé autant de problèmes cette nuit-là, murmura Annabelle.

Atterré, Alex resta un instant sans voix.

— Non ! Bien sûr que non ! Je ne t'en ai jamais voulu ! C'est à moi seul que j'en voulais.

— Nous étions des enfants, fit valoir Annabelle d'une voix tendue. Personne n'est coupable.

Alex crispa les doigts sur le combiné. Personne n'était coupable ? Elle ne pouvait pas avoir pardonné à leur père… Mais impossible de lui poser la question. Il ne voulait pas que le nom de William Wolfe soit prononcé au cours de cette conversation. Celle-ci ne concernait qu'Annabelle et lui.

— Peux-tu me pardonner ?

— Oh ! Alex… Même si nous ne nous parlons pas souvent, tu es mon autre moitié et tu le seras toujours. Tu n'en doutes pas, j'espère ?

La vue brouillée par les larmes, Alex se rassit. La conversation se poursuivit encore quelques instants et, pour la première fois de sa vie, il se sentait en paix avec lui-même.

Après avoir raccroché, malgré le décalage horaire, il appela son vieil ami Carter White et discuta longuement avec lui avant de lui promettre de ne plus le laisser sans nouvelles.

Il venait de faire la paix avec lui-même et son passé, mais il lui restait encore à se réconcilier avec la personne qui avait déclenché toutes ces démarches.

Le doute n'était plus possible. Il savait à présent qu'il aimait Libby. Il savait aussi que cet amour était partagé.

Après leur dernière querelle, elle n'était sûrement pas prête à l'admettre, mais c'était une évidence.

Il l'avait fait souffrir et elle ne voulait pas prendre le risque de souffrir encore. Normal. Mais, désormais, il était prêt à lui offrir ce qu'elle attendait de lui. Mieux encore, il en avait envie autant qu'elle.

Même s'il devait y consacrer toute son énergie pendant des années, il finirait par la convaincre de sa sincérité.

15.

— Tu es vraiment incroyable, Libby ! En plus de tes nombreux autres talents, tu fais drôlement bien la cuisine !

Tout en débarrassant, Libby jeta un coup d'œil narquois à Payton.

— Du poulet rôti et des légumes, ce n'est pas exactement de la grande cuisine !

— C'est la façon de les préparer qui fait toute la différence, insista la jeune femme en la suivant dans la cuisine.

Libby avait invité Payton à dîner. Ou plutôt, c'était Payton qui avait proposé à Libby d'aller au restaurant puis au cinéma. Mais Libby n'avait pas eu envie de sortir. Depuis qu'elle avait rompu avec Alex une semaine plus tôt, elle s'efforçait de faire bonne figure, mais en réalité elle n'avait envie de voir personne.

Elle avait pris la bonne décision, se répétait-elle inlassablement. Ce qui ne l'empêchait pas de souffrir au point d'avoir parfois du mal à respirer. Son état d'esprit n'avait pas échappé à son amie, qui avait décidé qu'une soirée de détente ne pouvait lui faire que du bien.

Pendant que Libby rinçait les assiettes, Payton rangea les condiments.

— Si tu n'es pas fatiguée, je peux aller louer un DVD. Ou bien nous pouvons juste bavarder un moment, si tu préfères.

— Ne t'inquiète pas, Payton. Je vais bien, assura Libby. Rentre chez toi et mets-toi au lit.

— Mais toi, tu es prête à te coucher ?

— Je vais aller marcher un peu.

— A cette heure-ci ?

Payton disparut dans le salon. Libby la suivit et la trouva en train d'enfiler son manteau rose vif.

— Je t'accompagne.

Libby eut un sourire attendri. Payton avait un cœur énorme.

— Le front de mer est bien éclairé. Ça va aller, ne t'en fais pas.

Payton considéra Libby avec circonspection, puis elle soupira.

— Si tu es sûre de vouloir rester seule…

Après le départ de la jeune femme, Libby contempla un instant par la fenêtre l'océan sous le clair de lune.

Autrefois, ces vagues étaient toute sa vie.

Lorsque son univers avait été anéanti, elle avait serré les dents et en avait construit un autre. Il fallait garder espoir. Peu à peu, cette souffrance qui la tenaillait aujourd'hui finirait par s'estomper. Elle finirait par oublier Alex Wolfe et son sourire irrésistible, sa personnalité fascinante… la fougue de ses baisers, la tendresse de ses caresses…

Se maudissant, Libby enfila une veste et sortit. Il fallait absolument qu'elle se secoue. Peut-être aurait-elle dû apprendre à courir. Rien de tel pour se vider l'esprit que de parcourir ainsi des kilomètres. Et puis, elle avait besoin de vacances. Peut-être Thredbo… Si elle était capable de danser le tango, il n'y avait pas de raison qu'elle ne puisse pas refaire du ski.

Cinq minutes plus tard, elle se trouvait sur le front de mer, où elle s'était promenée en compagnie d'Alex quelques semaines plus tôt. Malgré ses projets, elle avait toujours le cœur aussi lourd.

Le cœur battant, elle s'immobilisa en haut d'un escalier qui descendait sur la plage. Depuis son accident, la seule fois où elle avait senti du sable entre ses doigts de pied, c'était au cours de cette nuit fantastique qu'elle avait passée avec Alex sur la Gold Coast. Il l'avait obligée à surmonter sa peur et elle avait réussi. C'était un pas de géant. Aurait-elle jamais trouvé le courage de le franchir sans lui ?

Prenant une profonde inspiration, elle descendit les

marches, s'assit sur la dernière et enleva ses chaussures. Au contact du sable, une foule de souvenirs merveilleux l'assaillit. Ceux de l'époque où elle était une enfant sirène, jusqu'à celui de cette nuit où elle avait retrouvé le courage d'approcher l'océan, soutenue par l'homme dont elle était amoureuse.

Elle se leva avec précaution et sortit de sa poche le coquillage rempli de perles. Elle le posa au creux de sa paume et l'ouvrit. Sous le clair de lune, les pierres bleues scintillèrent. Sans doute avait-elle quand même compté un peu pour Alex. Non ?

Un bus passa dans un grondement assourdissant et elle tourna la tête vers l'avenue. Il y avait plus de circulation qu'à l'ordinaire. Voitures, camions, motos. Mais tout à coup, une pétarade étouffa tous les autres bruits. Libby tendit le cou. Quel genre de véhicule pouvait faire ce bruit de locomotive ?

Son cœur fit un bond dans sa poitrine. Cette vieille voiture qui entrait sur le parking… Il ne pouvait pas y en avoir une autre semblable… et elle ne pouvait être conduite que par une seule personne… Pas de doute, à la lumière des réverbères, elle était parfaitement reconnaissable. Carrosserie bleu pastel rongée par la rouille, capot cabossé… Pourquoi Alex conduisait-il cette épave ?

Non. *Que faisait-il là ?* C'était ça la vraie question.

La voiture s'arrêta et le bruit épouvantable cessa. Une portière rouillée grinça puis claqua. Libby retint son souffle. Alex leva la tête vers son immeuble, puis comme averti par un sixième sens, il se tourna vers la plage. A cent mètres de distance, leurs regards se croisèrent. Quelques secondes plus tard, il sautait par-dessus la rambarde de la promenade et atterrissait souplement sur le sable.

Lorsqu'il s'immobilisa devant elle, plus irrésistible que jamais, elle vacilla sur ses jambes, le cœur battant à tout rompre. « Que fais-tu ici ? » La question lui brûlait les lèvres, mais elle ne se sentait pas prête à entendre la réponse.

— Pourquoi conduis-tu cette épave ?

Lui qui avait tant de voitures superbes…

— J'ai décidé qu'il était temps de tourner certaines pages.

Je vais la remettre en état. Elle est encore belle malgré les coups qu'elle a pris. Je lui dois bien ça. Et à moi aussi.

Libby scruta le visage d'Alex. Que voulait-il dire exactement ? Mais avant qu'elle ait le temps de l'interroger, il ajouta :

— Je ne m'attendais pas à te trouver ici, sur la plage.

Elle jeta un coup d'œil derrière elle. La mer montait… Instinctivement elle fit deux pas en avant, et se rapprocha d'Alex. Ce n'était pas une bonne idée, se dit-elle aussitôt. Quelles que soient ses intentions — lui présenter de nouvelles excuses, ou bien lui faire du charme — elle n'avait aucune envie de l'écouter.

— Je te croyais reparti à l'étranger.

Il esquissa un sourire.

— J'ai des affaires à régler ici.

— Des affaires ?

Il plongea son regard dans le sien.

— Oui. Des affaires de la plus haute importance.

Le cœur battant, elle s'efforça de prendre un ton désinvolte.

— Concernant tes affaires ?

— Te concernant toi, Libby. Nous concernant tous les deux.

Elle déglutit péniblement. Comment osait-il venir ici pour s'amuser avec elle comme ça ? Après tout ce qu'elle lui avait dit avant de le quitter, c'était vraiment trop cruel…

— Il faut que j'y aille.

Il lui barra le passage.

— Libby, écoute-moi. S'il te plaît.

Elle continua de fixer le sable. Il lui prit le menton et l'obligea à lever la tête. Quand son regard gris plongea dans le sien, elle sentit sa volonté s'évanouir.

— Tu ne peux pas nier que nous sommes unis par des liens très forts, commença-t-il d'une voix solennelle qu'elle ne lui connaissait pas. Nous nous comprenons et nous nous apprécions — même si je te l'ai parfois bien caché, je le reconnais. Nous ne nous comprendrions peut-être pas aussi bien si nous avions été épargnés par le malheur. J'aurais aimé avoir une enfance différente et un père aimant. J'aurais aimé connaître ma mère. Et toi, tu aimerais sans doute ne pas avoir fait de surf ce jour-là. On nous a distribué de mauvaises cartes et nous avons été obligés de faire avec.

Alex glissa un bras autour de la taille de Libby.

— Nous sommes des survivants. Nous continuons d'avancer résolument malgré tout.

Emue malgré elle, Libby sentit des larmes perler à ses paupières.

— Je sais à quel point ton enfance a été difficile. Mais ce qui s'est passé autrefois n'a rien à voir avec le présent.

— Je pense que si. Tout le monde peut commettre des erreurs. Comme moi, quand au début j'ai voulu te pousser à agir en contradiction avec tes principes. Et quand plus tard je t'ai rejetée, avec une lâcheté et une cruauté impardonnables.

Une veine battait frénétiquement au cou d'Alex. Il attira Libby plus près de lui.

— C'était odieux. Je le savais, mais j'essayais de me convaincre que garder mon titre de champion était ce qui comptait le plus pour moi.

Il enveloppa Libby d'un regard éperdu.

— Mais tu m'as appris qu'il y avait autre chose dans la vie que la course. J'ai découvert que j'avais envie de vivre autre chose. Et que j'étais prêt à ça.

— Quoi donc ? demanda Libby dans un murmure.

— Le mariage, les enfants. Avec toi. J'ai envie que nous construisions notre vie ensemble. Parce que je sais qu'elle sera belle. Je t'aime.

Une larme roula sur la joue de Libby.

— Tu me demandes… ?

— Je te demande de m'épouser.

Alex effleura sa tempe des lèvres.

— Je peux vivre sans la compétition. Mais je suis incapable de vivre sans toi.

Une autre larme suivit la première. Puis une autre. Il l'aimait. Il ne pouvait pas vivre sans elle…

— Tu es sûr ?

— Je n'ai jamais été aussi sûr de quelque chose. Et je sais qu'ensemble nous sommes capables de tout.

— Je t'aime aussi.

La bouche d'Alex captura celle de Libby et elle s'abandonna sans réserve à son baiser passionné.

Quelques instants plus tard, un concert de klaxons les fit redescendre sur terre. Sur le parking, des jeunes saluaient à leur manière le couple qui s'embrassait sur la plage.

Alex rit.

— Tu sais ce que cela veut dire, n'est-ce pas ?

— Que demain nous serons probablement en photo dans les journaux ?

— Oui. Et puisque c'est comme ça, autant leur donner un vrai scoop.

Avant d'avoir le temps de comprendre ce qui lui arrivait, Libby se sentit soulevée de terre.

— Attention, ton épaule !

— Il n'y a pas de problème, répliqua Alex en se dirigeant vers l'océan.

Libby se raidit dans ses bras.

— Que fais-tu ?

— Ne t'inquiète pas. Nous allons le faire ensemble.

— Aller dans l'eau ? Maintenant ?

— Juste cette fois pour essayer. Ensuite, si tu veux, tu pourras y renoncer définitivement.

Libby sentit la panique l'envahir.

— Je… je ne peux pas.

Alex continua d'avancer. Bientôt elle entendit ses pas dans l'eau et sentit les embruns sur sa peau.

— Avec moi, tu n'as rien à craindre, assura-t-il. A partir de maintenant, je serai toujours là pour toi. Je ne te laisserai plus jamais tomber.

Elle noua les bras autour de son cou, mais un petit cri étouffé lui échappa quand les vagues lui léchèrent les jambes.

Il s'immobilisa.

— Ça va ?

Elle hocha la tête. Oui, contrairement à toute attente, elle se sentait bien. En sécurité. Alex avait raison. Il était indispensable qu'elle essaie au moins une fois, et dans ses bras, elle s'en sentait capable.

Alors qu'il continuait d'avancer dans l'eau, elle s'efforça de se détendre. Bientôt les vagues lui léchèrent le corps, comme tant de fois auparavant. Alex la contemplait en souriant, le regard étincelant d'amour et de fierté.

— Quel effet ça fait ?

— C'est un peu bizarre, mais en fait j'ai surtout l'impression de retrouver un vieil ami.

Alex eut un sourire ravi indiquant qu'il n'en avait jamais douté.

— Alors qu'en dis-tu, Libby ? Veux-tu être ma femme ?

De nouvelles larmes inondèrent les joues de Libby. Des larmes de bonheur. Elle avait le sentiment d'être la femme la plus chanceuse et la plus belle du monde…

— Oui, Alex, je veux t'épouser.

Elle lui caressa la joue, le cœur gonflé de joie.

— Je t'aime.

Les yeux gris étincelèrent.

— Dis-le-moi encore.

Léchée par les vagues, elle caressa ses lèvres du bout des doigts.

— Je t'aime.

Alex s'empara de sa bouche. Envahie par un bonheur indicible, elle répondit à son baiser avec ferveur.

Le passé ne serait jamais effacé, mais tant qu'Alex et elle seraient ensemble — jusqu'à la fin de leurs jours — l'avenir leur sourirait.

Rien ni personne ne pourrait se mettre en travers de leur chemin.

BAD BLOOD

Tournez vite la page et découvrez, en avant-première,
un extrait du cinquième roman de votre saga Azur,
à paraître le 1er octobre…

Cara Taylor essuya ses paumes moites sur le satin de sa robe, tout en espérant qu'elle n'y laisserait pas de marque. C'était le grand soir, la nuit la plus importante de sa carrière de croupier.

Une nuit qu'un bouleversement inattendu menaçait de gâcher.

Car Bobby lui avait demandé de *tricher*. Ce simple mot lui donnait des palpitations…

Cara prit une profonde inspiration pour se calmer. Elle pouvait le faire. Non, corrigea-t-elle mentalement, elle *devait* le faire. Les hommes qui allaient s'asseoir à sa table dans quelques minutes étaient tous richissimes, habitués à perdre des millions sans ciller, sur une mauvaise carte.

Qu'importait si ce soir, c'était à cause d'elle plutôt que par manque de chance ? Le résultat serait le même : leur vie n'en serait pas affectée. Aucun de ces hommes ne savait ce que c'était que de tout perdre et de devoir lutter pour survivre.

Elle, c'était tout le contraire : elle se battait pour sauver sa famille depuis que l'ouragan Katrina avait détruit leur maison de La Nouvelle-Orléans. Une maison qui n'avait d'ailleurs pas été la seule victime des éléments… La tempête avait aussi révélé les noirs secrets de son père.

Après le départ de ce dernier et la dépression de sa mère, Cara avait travaillé dur, en tant qu'aînée, pour sauver ce qui pouvait encore l'être. Elle n'avait pas hésité un instant à sacrifier ses propres rêves.

Ce soir, elle avait enfin l'occasion de dire adieu à ses problèmes d'argent. Si tout se déroulait comme prévu, elle pourrait loger convenablement sa mère et payer sa prime d'assurance, devenue exorbitante après Katrina. Sa mère aurait bien sûr pu déménager, mais elle avait refusé. Cara, bien qu'irritée, devait admettre qu'elle la comprenait. Il était difficile d'abandonner l'endroit où l'on était née. Et après le traumatisme de ces dernières années, de nouveaux bouleversements ne pourraient qu'affecter également sa sœur Evie et son petit frère Rémy.

Et après ce soir, songea Cara, Rémy aurait accès aux soins spécialisés dont il avait besoin. C'était la chose la plus importante. S'il fallait tricher aux cartes pour cela, tant pis. Le bonus que Bobby lui avait promis, lorsqu'elle avait accepté de l'accompagner à Nice pour ouvrir ce nouveau casino, lui permettrait enfin d'aider les siens et de reprendre sa vie en main.

Evidemment, Bobby n'avait jamais parlé de tricher jusqu'à cette nuit…

— Tu as bien compris ce que tu devais faire ? fit une voix suave dans son dos.

Cara pivota, se composant une mine parfaitement neutre.

— Bien sûr.

Avec un clin d'œil, Bobby lui décocha une petite claque sur les fesses. Cara fit de son mieux pour cacher sa révulsion. Elle n'avait jamais aimé Bobby, mais il était le roi des casinos de Vegas. Et son empire s'étendait, comme le prouvait le nouvel établissement où ils se trouvaient ce soir, au cœur d'un ancien palais niçois.

Cara avait commencé sa carrière chez l'un des rivaux de Bobby. Ce dernier n'avait pas tardé à repérer son talent et à lui offrir un travail. D'abord réticente, elle n'avait pu résister longtemps au salaire mirobolant qu'il lui était offert. Et à l'exception d'une main baladeuse ou d'une œillade lubrique de temps en temps, elle n'avait pas eu de raison de le regretter.

Du moins jusqu'à maintenant.

La dent en or de Bobby scintilla lorsqu'il lui sourit. Cara s'était toujours demandé s'il s'agissait d'une affectation de sa part ou s'il avait vraiment besoin d'une fausse dent. De toute façon, dans les deux cas, il la dégoûtait.

— Veille à ce que les joueurs soient contents, d'accord ? Sers-toi de tes seins pour détourner leur attention : ce serait idiot d'en avoir de si beaux pour rien. Et surveille le type que je te désignerai. Quand le pot sera assez élevé, il te fera signe.

Cara sentit son visage s'enflammer. Elle n'aurait su dire si c'était parce que Bobby avait fait référence à ses seins ou parce qu'elle avait honte de ce qu'elle allait faire. C'était sans doute un mélange des deux. Elle était d'une honnêteté scrupuleuse et n'avait jamais triché de sa vie, contrairement à son père…

De nouveau, elle lissa sa robe sur ses hanches, résistant à l'envie irrépressible de refermer son décolleté. En temps normal, son uniforme se composait d'une longue jupe et d'une chemise blanche fermée par un nœud papillon, mais ce soir, Bobby lui en avait fourni un tout autre : une minijupe en satin, un chemisier échancré rouge sang et un nœud papillon à porter à même la peau.

Fais ce que tu as à faire, se dit-elle. *Demain, tu rentreras chez toi et tu ne verras plus jamais Bobby Gold.*

— Je ferai de mon mieux, patron, répondit-elle avec une touche d'ironie.

Le visage de Bobby se durcit, ses petits yeux jetèrent un éclat cruel. Cara avait déjà vu ce regard. Un frisson la parcourut. Bobby, elle le savait, était capable de tout.

— Tu as intérêt, répondit-il. Je ne voudrais pas devoir sévir.

Sans lui laisser le loisir de répondre, il tourna les talons et s'éloigna vers le bar.

Cara prit position à sa table au moment même où le rideau de velours noir qui cachait la porte d'entrée s'écartait pour laisser passer un homme blond, de haute taille. Lui aussi se dirigea vers le bar, où il commanda à boire avec un accent allemand. C'était donc le comte Von Hofstein.

Bientôt, d'autres joueurs les rejoignirent dans la pièce privée que Bobby avait réservée à la partie. Il y avait là un cheikh adipeux vêtu d'un costume et d'un keffieh, un

Africain d'allure noble qui vint s'asseoir directement à la table de jeu.

Un par un, les sièges se remplirent. Les hommes étaient silencieux, concentrés.

Lorsqu'il ne resta plus qu'un siège vide, le rideau s'ouvrit sur le dernier invité. A sa vue, Cara sentit son cœur s'accélérer. L'homme était grand, mince, vêtu d'un smoking qui lui allait comme une seconde peau. Du sur mesure, elle en aurait juré. Ses cheveux étaient noirs — ou marron foncé — et ses yeux d'un gris acier tel qu'elle n'en avait jamais vu. Sa mâchoire était forte, ses lèvres d'une sensualité presque cruelle.

Tout dans son comportement exprimait une morgue naturelle, comme s'il ne se souciait de rien ni de personne. Cara frémit, surprise par sa propre réaction devant cet homme qui lui était inconnu. Cela ne lui était certainement pas arrivé avec son ex, James.

Lorsque le regard du nouveau venu se posa sur elle, il parut se faire plus glacial encore. Elle baissa les yeux, se maudissant intérieurement de l'avoir observé de manière aussi flagrante.

Formidable. Il allait sans doute s'imaginer qu'elle était l'une de ces filles qui travaillaient dans un casino avec l'espoir de harponner un homme riche.

Elle sursauta en sentant une main se refermer sur son bras. Un sourire déplaisant aux lèvres, Bobby l'entraîna à l'écart et murmura :

— N'essaie pas de faire preuve de noblesse d'âme, Cara. Rappelle-toi le bonus que je t'ai promis… Avec ça, tu pourras mettre ta petite famille à l'abri du besoin.

Puis il se pencha vers elle, tout en faisant glisser ses gros doigts sur le bras nu de la jeune femme.

— L'homme à la cravate rouge s'appelle Brubaker. C'est lui qui te donnera le signal. A ce moment-là, tu t'arrangeras pour qu'il ait la bonne carte, compris ?

— Oui.

Cara retourna vers la table, le cœur lourd. Après avoir

exposé les règles à voix haute, elle entreprit de battre les cartes. Elle coupa, puis distribua.

L'homme aux yeux gris argent était assis juste en face d'elle. Lorsqu'il ramassa son jeu, elle ne vit pas la moindre émotion traverser son visage, rien qui indiquât s'il était content, irrité ou déçu. Durant ses nombreux mois à Vegas, Cara avait vu défiler un nombre incalculable de joueurs amateurs ou professionnels. Tous trahissaient, à des degrés divers, leurs émotions. En tout cas, elle avait toujours été capable de dire si quelqu'un avait tiré une bonne main.

Mais cet homme était l'impassibilité même. Jusqu'au moment où, redressant la tête, il croisa son regard. Un sourire se dessina alors sur ses lèvres, puis ses yeux descendirent lentement sur son décolleté.

Rouge comme une pivoine, Cara se força à se concentrer sur les cartes.

Elle ne pouvait pas se laisser distraire. Ce soir, elle avait une mission. Et même si celle-ci lui déplaisait, elle devait l'accomplir.

Du nouveau le 1er octobre 2012 dans votre

Et si pour une fois, le roman ne s'arrêtait pas avec le mot « fin » ?

Découvrez l'histoire de Giselle et Saul Parenti, dans :

Le défi d'une amoureuse

et

Un impossible secret

2 romans inédits réunis dans un volume exceptionnel Azur, *Le destin des Parenti*.

A découvrir dès le 1er octobre dans vos points de vente habituels.

Recevez toutes les infos en avant-première en vous inscrivant à la newsletter sur www.harlequin.fr

Ne manquez pas, dès le 1er octobre

***LE DÉFI D'UN SÉDUCTEUR**, Michelle Reid • N°3281*

Lorsqu'elle arrive à Livourne, Lexie a la sensation oppressante de replonger dans le passé. Dans quelques instants, elle va revoir Francesco Tolle, son mari qu'elle n'a pas vu depuis plus de trois ans. Si aujourd'hui, elle a accepté de revenir dans cette ville qui lui rappelle de cruels souvenirs, c'est parce que Francesco, victime d'un grave accident, la réclame à son chevet. À sa grande surprise, ce dernier lui annonce qu'il n'a finalement aucune intention de divorcer et exige qu'elle reste désormais à ses côtés. Furieuse qu'il ose lui demander cela, mais inquiète à cause de son état de santé, Lexie ne peut qu'accepter...

***LE PLAY-BOY DE NOB HILL**, Jennie Lucas • N°3282*

Play-boy & Milliardaire

Lorsque Alessandro Caetani, son patron, lui demande de l'accompagner à un bal de charité, Liley tombe des nues. Elle, au bras de ce séduisant milliardaire dont on ne compte plus les conquêtes ? D'abord effarée, et certaine qu'il se moque d'elle, Lilley refuse. Avant d'accepter. D'abord pour donner une bonne leçon à ceux qui lui ont fait du mal. Et parce que le regard que le prince pose sur elle la fait frissonner, même si elle sait qu'il l'oubliera dès le bal terminé...

***POUR L'AMOUR D'UN MILLIARDAIRE**, Cathy Williams • N°3283*

A l'idée d'organiser un mariage de la haute société londonienne, Ellie est aux anges. Voilà qui donnera un coup d'accélérateur à sa carrière débutante ! Et tant pis si la future mariée est une héritière un brin capricieuse et égocentrique. Mais quand elle découvre *qui* cette dernière doit épouser, Ellie sent la panique l'envahir. Car le futur marié n'est autre qu'Angelo Falcone, celui qu'elle a passionnément aimé trois ans plus tôt, mais qu'elle a dû quitter sans pouvoir lui expliquer les raisons de sa fuite. Aussitôt, une question la frappe de plein fouet : comment organiser les noces d'un homme qu'on aime encore, et qui vous hait ?

A LA MERCI DU DÉSIR, *Christina Hollis* • *N°3284*

Lorsqu'elle arrive à Venise, Beth ressent une exaltation mêlée d'appréhension. Car la beauté de la ville ne peut lui faire oublier que dans quelques heures, elle va pénétrer dans les bureaux de l'homme qu'elle a follement aimé six ans plus tôt, Luca Francesco. Luca, qu'elle a quitté en comprenant qu'il ne s'engagerait jamais auprès d'elle, mais qu'elle n'a jamais pu oublier. En le revoyant, ressentira-t-elle le même désir qu'autrefois ? Et si c'est le cas, comme elle le redoute, comment pourra-t-elle travailler avec lui, et affronter l'hostilité qu'il ne manquera pas de lui témoigner ?

LE DESTIN DES PARENTI, *Penny Jordan* • *N°3285*

Quand Giselle découvre le visage de son nouveau patron, elle a l'impression que le ciel lui tombe sur la tête. Car Saul Parenti, qui vient de racheter le cabinet d'architectes où elle travaille, n'est autre que l'inconnu avec lequel elle vient d'avoir une altercation, quelques minutes plus tôt, dans le parking de l'immeuble ! Aussi, quand Saul lui annonce qu'elle devra désormais travailler directement avec lui pour mener à bien un projet d'envergure, Giselle comprend qu'elle va devoir tout faire pour lui prouver qu'elle est à la hauteur, mais aussi pour lui cacher la folle attirance qu'il lui inspire...

Volume Exceptionnel 2 romans inédits

UN ÉTÉ DANS SES BRAS, *Elizabeth Power* • *N°3286*

Jamais Sienna n'aurait pensé revoir Conan Ryder, le frère de son mari décédé. Comment aurait-elle pu imaginer que cet homme sombre et impitoyable chercherait à la retrouver, alors qu'il l'a toujours détestée ? Mais bientôt, sous le choc, Sienna comprend les raisons de cette surprenante visite : Conan exige qu'elle et sa petite Daisy, âgée de quatre ans, viennent s'installer pour l'été dans la villa familiale, sur la côte d'Azur. Une exigence à laquelle elle n'a hélas guère les moyens de se dérober. Si elle refuse, Conan ne risque-t-il pas de tout entreprendre pour obtenir que la fillette vienne définitivement vivre dans sa famille paternelle ?

UN AMANT SICILIEN, Sandra Marton • *N°3287*

- La saga des Orsini - ANNA

Lorsque son père, Cesare Orsini, fait appel à ses talents d'avocate pour l'aider à récupérer une terre en Sicile qui aurait jadis appartenu à leur famille, Anna croit d'abord à une plaisanterie. Mais devant l'air grave et sérieux du vieil homme, Anna finit par céder. Finalement, n'est-ce pas le moyen d'en apprendre davantage sur ses origines ? Mais face à l'actuel propriétaire du domaine — un prince italien —, Anna comprend que cette affaire va être beaucoup plus complexe qu'elle ne le croyait. Car si Draco Valenti est arrogant, sûr de lui, insupportable, il est aussi incroyablement beau, séduisant, irrésistible...

L'HÉRITIER REBELLE, Lynn Raye Harris • *N°3288*

- Bad Blood - 5ème PARTIE

En entrant dans un casino de Nice, Jack croise le regard d'une employée, une jeune femme ravissante qui fait aussitôt naître en lui un désir brûlant. Et quand il se rend compte que la belle Cara Taylor, accusée à tort par son patron d'avoir voulu le voler, pourrait être en danger, il n'a plus qu'une idée : l'emmener loin d'ici pour la protéger. Et puisqu'elle se retrouve désormais sans travail, pourquoi ne pas lui proposer de la rémunérer pour l'accompagner en Angleterre, où il doit assister au mariage de son frère ? Une occasion qui pourrait lui permettre de montrer à Cara à quel point il la désire...

Attention, numérotation des livres pour le Canada différente : numéros 1757 à 1762

Composé et édité par les
éditions HARLEQUIN
Achevé d'imprimer en août 2012

La Flèche
Dépôt légal : septembre 2012
N° d'imprimeur : 69222

Imprimé en France